Carry Slee

Hebbes

met tekeningen van Philip Hopman

babymonsters

Het huis van de dames Poeke en Piek Zandstra ziet er heel gewoon uit. De huiskamer verraadt niets. Er staan onopvallende bruine eiken meubels. En de landschapjes aan de muur zouden in elk huis kunnen hangen. Open op tafel ligt naast een breiwerk een fotoboek. Maar ook daar kun je niets raars aan zien, want op de spitse neuzen, de dunne armen en benen en de lange jubeltenen na, lijken Poeke en Piek heel normale baby's.

Poeke houdt Piek het fotoboek voor. 'Hier waren we net geboren.'

Piek zucht. 'Het werd wel tijd. Ik vond het zo saai in die buik. Wie moest ik nou pesten? Alleen jou, verder was er niemand.'

'Alsof ik niet allang op jou was uitgekeken,' zegt Poeke. 'Ik was blij dat ik eindelijk in de wieg lag en iedereen naar ons kwam kijken.'

'Hier heb je de buurvrouw.' Piek wijst naar de foto. 'Dat was nog voordat het gebeurde.'

'Een paar tellen maar,' zegt Poeke. 'Want zodra ze zich over de wieg boog, greep ik haar bij haar haren.'

'Ik ook.' Piek knikt stralend. 'Het was van dat lekkere peenhaar. Ik trok zo hard als ik kon. Heerlijk!'

'Ik hoor haar nog gillen,' zegt Poeke. 'Ze dacht

zeker dat we dan zouden loslaten, maar dan moet je niet bij ons zijn. Dan gaan we alleen maar nog harder trekken.'

'Ik hoopte zo dat ze zich zou losrukken,' zegt Piek. 'En ja hoor, die troela deed het ook nog.'

'Ik had in elke hand een dikke pluk haar,' zegt Poeke trots.

'Anders ik wel, ik zie haar nog voor me met die vier kale plekken op haar hoofd.'

'Moet je nagaan, we waren nog maar twee dagen oud. Ik wil nog wel eens zien welke baby ons dat nadoet. Daar ben je als vader toch apetrots op. Maar nee hoor, papa schaamde zich.'

'Hij schaamde zich altijd voor ons,' zegt Piek. 'En op Wilbert was hij wél trots. Die lag vast keurig in zijn wieg te suffen.'

'Alsof dat zo knap is.'

Poeke slaat de bladzij om. 'Van oom Willem hebben we geen foto. Toen was het rolletje zeker vol.'

'Als hij had geweten wat hem te wachten stond, was hij nooit naar zijn lieve nichtjes komen kijken,' zegt Piek.

'In elk geval niet vlak
voor hij moest solliciteren,'
gniffelt Poeke.
'Toen die kale kop
binnenkwam dacht ik: o
jee, dat wordt niks.'
'Ik had precies hetzelfde,'
zegt Poeke. 'En helemaal
toen ik die neus zag. Dat
miezerige dingetje was veel

te klein om vast te grijpen. We hadden geluk dat we
z'n stropdas ineens zagen bengelen. Achteraf was dat
nog spannender, want hij werd helemaal rood toen
we er hard aan trokken.'
    'Hij maakte heel rare geluiden en liep blauw aan.'
    'Toen zag hij er pas schattig uit.' Poeke lacht
gemeen.
    'Maar dat duurde jammer genoeg maar heel even,'
zegt Piek. 'Want toen kwam mama al.'
    'Ze kreeg onze vingers lekker niet los,' zegt Poeke.
    'Nee,' zegt Piek. 'Daarom moest ze die das wel
afknippen.'
    'En toen moest hij solliciteren met een afgeknipte
stropdas.'
    Poeke en Piek bladeren grinnikend verder.
    'Onze beste actie kwam pas een week later.'
    'Toen was het extra leuk omdat het de directeur
van papa was,' zegt Piek. 'Ik weet nog hoe blij papa
keek toen hij zag dat die sukkel geen stropdas om
had.'
    'En dat hij niet zo ver vooroverboog,' zegt Poeke.
'Want daardoor konden we niet bij zijn haar.'
    'Maar wel bij z'n ogen. Het was echt heerlijk om

met mijn vingers in zijn ogen te prikken. Hmm...'
'En we prikten echt raak,' zegt Poeke. 'Anders had
de dokter niet hoeven komen. Hij moest op elk oog
een lap.'
'Wat waren we toen al knap, hè?' Poeke en Piek
wrijven hun neuzen tegen elkaar.

Als ze maar niet denken dat ik aan haaruitval lijd,
dacht de buurvrouw;
dat ik heb gevochten, dacht de directeur;
dat ik niet goed genoeg ben voor die baan, dacht
oom Willem.
Ze vertelden hun verhaal aan iedereen, en zo
kwam het dat alle mensen in de stad over Piek en
Poeke spraken. Mevrouw en meneer Zandstra werden door iedereen nagewezen: 'Daar heb je de
ouders van die gruwelijke tweeling.'
En de mensen die anders altijd een praatje met
hen maakten, liepen nu met een grote boog om hen
heen.
Meneer Zandstra, die al jaren bij de plaatselijke
club voetbalde, kreeg ineens geen bal meer toege-
speeld. En mevrouw Zandstra, die lid van de leesclub
was, had al in geen tijden meer een boek ontvangen.
Wilbert, het vijf jaar oudere broertje van Piek en
Poeke, had ook last van het geroddel. Niet één kind
durfde meer bij hem thuis te spelen. Hij had er heel
erge spijt van dat hij aan Sinterklaas een zusje of
broertje had gevraagd en schreef een lange brief naar
Spanje of zwarte Piet Poeke en Piek wilde komen
ophalen.
'Wacht maar,' zei meneer Zandstra tegen zijn
vrouw, die geen eetlust meer had. 'Als de kale plek-

11

ken op het hoofd van de buurvrouw weer met haar zijn begroeid, en de ogen van de directeur zijn genezen, en Willem wordt aangenomen bij de bank, dan vergeten de mensen wel wat er is gebeurd.'

Maar de baby's zorgden telkens voor nieuwe opschudding.

En op een dag, toen meneer Zandstra langs de wegwijzer op het plein reed, trapte hij van schrik op zijn rem. Het zwembad stond aangegeven en het postkantoor en de bibliotheek, maar er hing nu ook een bord dat wees in de richting van de Salamanderstraat waar de familie Zandstra woonde. En op het bord stond: BABYMONSTERS.

Meneer en mevrouw Zandstra konden er niet langer tegen en zetten hun huis nog diezelfde middag te koop.

Het plantengroeimiddel

'Dit was ons nieuwe huis,' zegt Piek.

Poeke knikt. 'Op deze foto wist nog niemand in de buurt hoe bijzonder wij waren. Daarom durfden er ook weer kinderen bij Wilbert te spelen.'

'Ik vond het wel gemeen dat mama ons opsloot,' zegt Piek. 'Wilbert had vast heel lieve vriendjes die je lekker bang kon maken en kon laten schrikken.'

'Maar als ze ons niet had opgesloten, hadden we ook niet kunnen ontsnappen,' zegt Poeke.

Piek herinnert het zich nog goed. 'Mama vergat maar één keer de deur dicht te doen en weg waren we.'

'Hier kropen we naar buiten.' Poeke wijst op de foto. 'Onder dit hek door. Want hier woonde buurvrouw Glibberbuik, die altijd in de zon lag te bakken.'

'We hadden wel geluk dat die zaadjes daar lagen en dat haar man net dat plantengroeimiddel had uitgevonden,' zegt Piek. 'Ze lag zo lekker in de zon dat ze niet eens merkte dat ik het groeimiddel op haar buik smeerde.'

'En dat ik de zaadjes erover strooide,' grinnikt Piek.

'Maar toen de zaadjes uitkwamen was het ineens afgelopen met zonnen, toen viel ze bijna van schrik in de vijver met dat bloementuintje op haar buik.'

Poeke ziet het weer helemaal voor zich. 'Eerst

dacht ze nog dat ze de bloemen gewoon kon afknippen. Maar toen die na een uur weer waren aangegroeid, raakte ze pas echt in paniek. En toen kreeg ze nog ruzie met haar man ook.'

'Die druiloor was alleen maar trots omdat zijn plantengroeimiddel zo goed werkte,' zegt Piek. 'Ik hoor hem nog juichen:' We worden rijk!' En toen maakte hij een foto van haar buik en die zette hij in de krant.'

Piek herinnert zich nog hoe kwaad de buurvrouw was. 'Ze wilde hem nooit meer zien.'

'Na een paar weken gingen ze scheiden.' Poeke straalt. 'En dat hadden wij voor elkaar gekregen. Wij tweetjes, dat is toch fantastisch! Zulke kinderen wil iedereen wel.'

Natuurlijk ontkenden mevrouw en meneer Zandstra tegenover iedereen dat hun dochters iets met het tuintje op de buik van de buurvrouw te maken hadden.

Doordat ze er nog maar net woonden en niemand wist waartoe de kleintjes in staat waren, geloofden de mensen hen. Maar er moest natuurlijk niet weer iets gebeuren, want dan zou het op gaan vallen. En omdat Poeke en Piek inmiddels konden lopen, werd de kans dat het misging alleen maar groter.

Mevrouw en meneer Zandstra hadden geen moment rust meer. Ze hadden al een hele rij kindermeisjes versleten, maar die liepen allemaal weg. De laatste had het twee dagen uitgehouden en dat was het record.

Mevrouw Zandstra besloot haar baan op te zeggen. Alles was beter dan weer te moeten verhuizen. Ze nam geen enkel risico en verloor haar dochters geen seconde meer uit het oog.

Meneer Zandstra, die bang was dat zijn vrouw overspannen zou raken, had een folder aangevraagd

van het tehuis voor moeilijke kinderen. Eerst wilde zijn vrouw er niet van horen. 'Ik laat mijn eigen kinderen niet opsluiten!' riep ze.

Uiteindelijk wist meneer Zandstra haar er toch van te overtuigen dat het zo niet langer kon doorgaan. 'Misschien heb je wel gelijk,' zei ze zuchtend.

Maar de volgende ochtend maakte ze haar man wakker. 'We hebben dat tehuis niet meer nodig. Ik heb al een oplossing.'

'Vertel op!' Meneer Zandstra zat meteen rechtop in bed.

'Luister,' zei mevrouw Zandstra. 'Onze dochters plagen grote mensen en de vriendjes van Wilbert, maar voor kinderen van hun eigen leeftijd zijn ze misschien wel lief.'

'Briljant!' riep meneer Zandstra. 'Je bent briljant. Ze moeten naar een crèche, dan zitten ze tussen hun leeftijdgenootjes, dat is vast de oplossing! '

Diezelfde dag nog bracht mevrouw Zandstra de
tweeling naar de crèche. Sommige kinderen klamp-
ten zich bij de deur angstig aan hun moeder vast,
maar Poeke en Piek huppelden vrolijk naar binnen.
Grote mensen pesten vonden ze heerlijk, maar kinderen treiteren leek hen ook wel leuk.

'Denk erom dat jullie je netjes gedragen,' zei
mevrouw Zandstra toen ze afscheid nam. 'Jullie zijn
hier op proef.'

Poeke en Piek, die voor geen prijs weggestuurd
wilden worden, gedroegen zich voorbeeldig.

Zodra er een kind viel,
renden ze er naartoe, hiel-
pen hem of haar overeind
en gaven om de beurt een
kusje op de zere plek. Als
er iemand huilde, kreeg
hij een slokje van hun
chocomel. En een heel
zielig jongetje met wie
niemand wou spelen,
mocht met hen meedoen.

'Het is ongelooflijk,' zei
de leidster na twee weken

tegen mevrouw Zandstra die al die tijd van de spanning niet had kunnen slapen. 'Zoiets heb ik nog nooit meegemaakt...'

Mevrouw Zandstra dacht dat haar tweeling het verprutst had en werd krijtwit. Maar de leidster was nog niet uitgesproken.

'...ik heb nog nooit zulke lieve kinderen in de groep gehad.' En vol enthousiasme schreef ze de tweeling in.

Piek wil de bladzij al omslaan.

'Niet zo snel!' Poeke trekt het fotoboek uit haar handen. 'Ik heb de klassenfoto van de crèche nog helemaal niet gezien!'

'Ja, toen we ingeschreven waren werd het pas echt leuk,' zegt Piek.

'Dat kwam doordat ik die superlijm te pakken had gekregen,' zegt Poeke.

'Poeh poeh, wat knap,' zegt Piek. 'Papa had die tube laten slingeren. Hij lag zo voor het grijpen. Als ik toevallig het eerst de kamer in was gekomen had ik hem zien liggen. Je wist niet eens wat je ermee moest doen.'

'Eén minuut misschien,' zegt Poeke. 'Maar zodra ik Poepkontje zag, wist ik het meteen.'

Piek bestudeert de foto. 'Ze staat er niet eens op. Die zat natuurlijk weer op het potje. Altijd als we met het klasje ergens naartoe gingen moest ze op het potje. Ook weer toen we die dag de eendjes in het park gingen voeren.'

Poeke zucht. 'En het duurde altijd een uur voor ze eindelijk haar broek los had.'

'Dat kwam toen wel goed uit,' zegt Piek. 'Anders

hadden we nooit de tijd gehad
om lijm op de rand van het
potje te smeren.'
'Ze ging er gewoon op zitten,' grinnikt Piek.
'Maar ze kon er niet meer
gewoon vanaf,' zegt Poeke. 'Ze
zat met haar stinkbillen aan
het potje vastgelijmd.'
'Als ik haar niet bang had
gemaakt was ze uren blijven
zitten. Ik zei tegen haar:

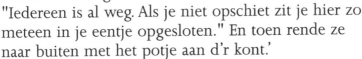

"Iedereen is al weg. Als je niet opschiet zit je hier zo
meteen in je eentje opgesloten." En toen rende ze
naar buiten met het potje aan d'r kont.'
'En ze stonk! Iedereen rook het. De juf ook.' Poeke
knijpt haar neus dicht. 'Eerst snapte ze niet wat die
bobbel onder het jasje van dat kind deed, maar toen
ze het potje rook, wist ze het wel! Maar ze kreeg het
lekker niet los.'
'Nee.' Piek kijkt haar zus aan. 'Wij gebruiken altijd
de beste spullen.'
'En al die halfgare kinderen haar maar aangapen,'
zegt Poeke.
'Daar hadden we juist geluk mee,' vindt Piek.
'Want toen konden wij mooi hun knuffels in de vijver gooien. Die gezichten toen ze het ontdekten!
Dáár had ik nou wel een foto van willen hebben.'
'En ik een videoband,' zegt Poeke. 'Dan konden we
ze weer horen janken. En gillen, toen ze naar de
waterkant renden!'
'Die knuffels hadden natuurlijk moeten zinken,'
zegt Piek.

Poeke knikt. 'Jammer genoeg vonden ze een lange tak in de bosjes. Dat had de juf bedacht, die moest zo nodig de heldin uithangen en de knuffels uit het water hengelen.'

'Dat had ze nooit moeten doen,' zegt Piek.

'Nee,' zegt Poeke. 'Want toen hebben wij haar tas begraven.'

'Eigen schuld,' zegt Poeke lachend.

Piek knikt. 'Je moet je tas nooit uit het oog verliezen.'

Noël

Niet ver van het huis van Poeke en Piek staat Noël
in de bakkerswinkel tussen allemaal jassen in geplet.
De toonbank lijkt heel ver weg. Hoe moet hij daar
ooit komen? Er is geen ruimte om te lopen, maar hij
wordt vanzelf met de jassen mee naar voren gescho-
ven. De koekjes die achter het glas van de toonbank
liggen, komen steeds dichterbij.
Nog één jas, denkt Noël, en dan ben ik aan de
beurt. En dan staat hij met zijn gezicht tegen de
toonbank aan. Zijn neus wordt platgedrukt.
'Wie is er aan de beurt?' vraagt de vrouw van de
bakkerswinkel.
Noël probeert zijn lippen te bewegen.
'Ik,' zegt de vrouw achter hem.
Steeds helpt de bakkersvrouw weer iemand
anders. Noël wil zijn hand opsteken, maar zijn
armen zitten tussen twee dikke jassen geklemd.
Telkens als een jas zich loswurmt en wegloopt,
wordt hij weer door de volgende ingesloten.
De vrouw van de bakkerswinkel let niet op Noël.
Ze moet op het brood letten en op de koekjes en
ervoor zorgen dat de toonbank glimt. En daar staat
Noël met zijn neus tegenaan.
'Niet met je snotneus in die koekjes,' zegt ze. 'Dat
is niet fris.'

21

Noël probeert heel voorzichtig zijn hoofd te draaien. Nu staat hij met een dubbelgevouwen oor tegen de toonbank aan.
'Dat is beter,' zegt de bakkersvrouw.

Ik ga nooit meer naar die rotbakker, denkt Noël als hij eindelijk buiten staat. En hij wrijft over zijn oor en het puntje van zijn neus dat nog is ingedeukt.

Noël vertelt het meteen als hij thuiskomt Hij wil dat zijn moeder de bakkerij inrent en de bakkers-vrouw met een brood een klap op haar hoofd geeft. En tegen iedereen zal zeggen dat ze niet meer bij die neuzenbeul moeten kopen.

Maar zijn moeder is net aan een nieuw schilderij begonnen, en gaat daar helemaal in op.

'Waarom zeg je nou niks?' vraagt Noël. 'Vind je het niet vreselijk gemeen?'

'O, eh... fantastisch natuurlijk, schat,' zegt zijn moeder. 'Ik snap dat je trots bent op de bakker. Het is ook een heel goed teken dat het er zo druk is. Dat betekent dat hun brood van een uitstekende kwaliteit is.' En ze smeert een verfstreek op het doek.

Noël is kwaad. Waarom luistert zijn moeder nou nooit naar hem? Hij neemt zich voor de hele dag boos te blijven, maar dat lukt hem vast niet, zelfs niet als hij met zijn hoofd onder het dekbed kruipt. Want Noël hoeft maar iets te zien gebeuren, of het wordt in zijn hoofd een verhaal, en zelfs als er niks gebeurt, ziet hij iets in zijn hoofd en dan wordt dát weer een verhaal.

De verhalen die Noël verzint, zijn heel bijzonder. Ze zouden zo in een boek kunnen en dan zouden alle kinderen het willen lezen.

23

Noël had pas na een hele tijd ontdekt dat zijn verhalen zo knap waren. Wie had het hem ook moeten vertellen? Zijn moeder luistert altijd maar met een half oor naar hem. En zijn vader heeft een hekel aan verhalen. Dat komt omdat hij bij een bank werkt waar ze leningen verstrekken. De hele dag hoort hij verhalen aan van mensen die geld nodig hebben.

'Hou alsjeblieft op,' zegt hij altijd als Noël begint te vertellen. 'Ik heb vandaag genoeg verhalen gehoord.' Meneer Aarts voetbalt liever met Noël. En dat vindt Noël ook fijn.

juf Aafje en Twiet

Pas toen Noël bij juf Aafje in de klas zat, kwam hij erachter hoe bijzonder zijn verhalen waren.

Noël was toen nog maar net een kleuter, maar juf Aafje was al heel lang juf.

Voor Noël was alles nieuw en spannend. De kinderen, de werkjes en de liedjes. Hij keek zijn ogen uit. Maar juf Aafje had al tientallen spookjes achter het gordijn 'Boe' horen roepen, honderden brandweerauto's door de klas zien racen en duizenden zandkoekjes geproefd. Er was niets meer waar ze van stond te kijken.

Bij juf Aafje konden de vaders en moeders 's morgens weglopen zonder dat er één kleuter begon te huilen. En dan speelde Thomas, die zo verlegen was dat hij hard weghelde als hij zichzelf in de spiegel zag, voor Roodkapje.

Niemand snapte hoe juf Aafje dat klaarspeelde. Zelf wist ze het wel. Haar juffenkracht zat in haar haar. Sinds haar oma dat had gezegd, had ze haar haren nooit meer laten knippen.

Het haar van juf Aafje was meters lang, en toch

sleepte het niet over de grond. Het zat boven op haar
hoofd, gevlochten en bij elkaar gebonden als een
vogelkooitje. En in dat vogelkooitje woonde Twiet,
een vogeltje.

Als juf Aafje met de kinderen een liedje zong, dan
zong Twiet mee.

Elke dag als de kinderen aan het werk waren,
rolde juf Aafje haar haren uit en dan vloog Twiet
door de klas.

Op een dag riep Sam: 'Ik ben ook een vogel! Ik
kan ook vliegen!' en hij ging met zijn armen wijd
op de tafel staan.

Juf Aafje wilde van haar haren een vangnet maken,
maar Sam was al gesprongen en viel op de grond.

'Au...' Sam voelde aan zijn hoofd. 'Er zit een bult
op mijn hoofd...' En hij begon heel hard te huilen.

Noël schrok heel erg en de rest van de klas ook.
Maar juf Aafje niet, die had al zo veel bulten gezien.

Ze wiegde Sam in haar haren. Toen dat niet hielp
maakte ze van haar haren een staart en liet de kinderen aan het uiteinde draaien. 'In spin, de bocht gaat
in,' zongen de kinderen. Maar Sam wilde niet springen. De juf moest zijn bult weghalen, dat was het
enige wat hij wilde. Juf Aafje kon veel, maar dat kon
ze niet. Ze deed van alles om Sam te troosten. Hij
mocht zelfs aan haar haren in het rond zwieren en
dat mocht normaal gesproken alleen als je jarig was.
Maar niets hielp. Sam bleef maar huilen.
    'Ik weet wat,' zei Noël, en hij begon te vertellen
over een land ergens heel ver weg. Wie in dat land
met een bult op zijn hoofd werd geboren mocht
koning worden.
    Sam hield meteen op met huilen. De andere kin-
deren waren ook stil. Ze zaten om Noël heen en
luisterden ademloos naar hem. 'Op een dag,' vertelde
Noël, 'werd er in dat land een heel arm jongetje

geboren, met een bult op zijn hoofd. Zijn ouders waren zo blij dat ze het rondvertelden: "Onze jongen wordt later koning!"

Maar toen de jongen op een ochtend wakker werd en aan zijn hoofd voelde, was zijn bult gestolen.' Noël vertelde over de dieren die de bult gingen zoeken, en er ging een zucht door de klas. En toen het heel spannend werd en een vogel met de bult in zijn snavel naar het jongetje vloog, hoorde je Twiet even tjilpen.

Toen Noël was uitverteld was Sam heel trots op zijn bult, en alle kinderen klapten voor Noël. Juf Aafje was in de war, want ze had niet verwacht dat een kind haar ooit nog kon verrassen. 'In al die jaren dat ik juf ben,' zei ze, 'is er nog nooit een kind geweest dat zo goed een verhaal kon onthouden.'

'Ik heb het niet onthouden,' zei Noël. 'Ik heb het zelf verzonnen.'

Dat geloofde juf Aafje niet. Ze was ervan overtuigd dat er geen kleuter bestond die zo'n knap verhaal kon verzinnen.

'Het is echt waar,' zei Noël.

'Als jij dit hebt verzonnen, dan knip ik mijn haar af,' zei juf Aafje.

'Nee!' riepen de kinderen. 'Dat mag niet. U mag uw haren niet afknippen.'

En dat wilde Noël ook niet. Daarom zei hij maar snel: 'Ik heb het toch niet zelf verzonnen!' Want als juf Aafje haar haren zou afknippen, dan had Twiet geen huisje meer.

Ik vertel voorlopig geen verhaal meer in de klas, dacht Noël. Maar de verhalen zaten nou eenmaal in zijn hoofd en wilden eruit. Omdat Noëls moeder toch niet luisterde en zijn vader ze niet wilde horen, vertelde hij ze maar aan zijn knuffels.

Hij wist nooit van tevoren wanneer er een verhaal in zijn hoofd kwam. Het kon overal gebeuren. Op straat of in bed, maar ook in de klas. En dat gebeurde de laatste tijd bijna elke dag. Dat kwam doordat juf Aafje haar haren steeds vaker los deed. Noël hoefde er maar even naar te kijken of die spannende lange haren werden een verhaal.

Zodra juf Aafje haar haren los deed, kwam Twiet op Noëls schouder zitten.

'Wat wil je toch van Noël?' vroeg juf Aafje.

Twiet vindt zeker dat ik lekker ruik, dacht Noël. Hij gebruikte al een paar dagen stiekem zijn vaders wax. Maar toen hij dat niet meer deed kwam Twiet evenzogoed op zijn schouder zitten.

Noël streelde zijn kopje. 'Je wilt iets van me, hè?'

Terwijl Noël verder speelde, trippelde Twiet maar over zijn hoofd heen en weer.

'Au!' zei Noël toen Twiet in zijn hoofd pikte. Hij pakte de vogel en zette hem op zijn hand. 'Het lijkt wel of je iets uit mijn hoofd wilt pikken...' En toen wist hij plotseling wat Twiet wilde. 'Jij wilt een verhaal horen...' fluisterde hij. Hij nam Twiet mee naar een stil hoekje van de klas en vertelde hem heel zachtjes een verhaal.

Soms kwam er iemand bij hen staan, maar dan hield Noël gauw zijn mond.

Als het verhaal heel spannend werd, of verdrietig of grappig, dan begon Twiet ineens te fluiten.

Noël vond het fijn dat hij zijn verhalen aan Twiet kon vertellen, maar het was bijna zomervakantie en dan was dat afgelopen. Daarna ging hij naar groep drie, waar hij zou leren schrijven zodat hij eindelijk zijn eigen verhalen kon opschrijven. Misschien werd er dan ooit een boek van gemaakt. Dat was Noëls grootste wens: schrijver worden.

De hele vakantie keek Noël uit naar het nieuwe schooljaar. Hij verheugde zich er zo op, dat hij Twiet vergat. Maar Twiet vergat Noël niet.

meester Timo

Over de deur van de klas van groep drie bengelt een been. Daarna komen er een hoofd, een arm en nog een been te voorschijn. Zo komt meester Timo elke ochtend de klas in. Want meester Timo is in het circus geboren. Zijn vader is acrobaat, zijn grootvader was acrobaat en zijn overgrootvader ook al. Maar Timo wou per se meester worden. Na heel lang zeuren mocht het van zijn ouders, maar je kunt nog altijd merken dat hij in het circus is opgegroeid. Soms loopt hij ineens op zijn handen.

Net als andere meesters en juffen schrijft Timo elke nieuwe letter eerst op het bord. Maar daarna vouwt en frommelt hij zijn lijf en armen en benen net zolang tot ze de letter vormen. Bij elke letter trekt hij een ander gezicht, zodat de kinderen het extra goed kunnen onthouden.

Waar Timo ook heen gaat, naar de supermarkt, naar een restaurant of naar een feest, hij komt altijd wel een vader of moeder tegen die hem iets wil vragen. Of Jonathan niet getest moet worden of hij hoogbegaafd is; of hij kan merken dat ze met Annabel vooruit hebben gewerkt; of hij denkt dat

31

Frederikje een klas kan overslaan; of Cornelia net als
haar moeder tandarts kan worden. Wat ze hem ook
vragen, Timo weet overal antwoord op. Daarom vinden de ouders hem een goeie meester. Maar meester
Timo vindt dat hij daarom nog geen goeie meester
is. Pas als het hem lukt om naast de schoolprestaties
aan elk kind ook nog iets speciaals te ontdekken,
vindt hij zichzelf een goede meester.

Als de kinderen iets voor zichzelf mogen doen,
hangt meester Timo meestal in de lamp. Dat komt
omdat hij zich hoog in de lucht het meest op zijn
gemak voelt en zijn klas daar het beste kan bestuderen. Ik weet het, denkt hij als hij weer eens in de
lamp hangt. Ik weet iets bijzonders van Joep. Hij kan
heel aanstekelijk lachen.

Meester Timo hangt nog steeds in de lamp als de
deur van de klas opengaat.

'Is Timo er niet?' Meneer Kauwenaar kijkt verbaasd naar de lege stoel.

'Hij zit toch achter zijn tafel,' zegt Sara gauw.

De kinderen bijten op hun lip om niet te lachen.
'Jij wilt mij in de maling nemen, hè?' zegt meneer Kauwenaar lachend. 'Maar dat lukt je niet, hoor.'
Op het moment dat hij zich naar Sara toedraait, springt Timo van de lamp op zijn stoel.
'Kijk zelf maar.' Sara wijst naar de meester die weer keurig achter zijn tafel zit.
Meneer Kauwenaar snapt er niets van. 'Ik dacht toch echt dat je er niet was.'
'Misschien werk je wel te hard,' zegt meester Timo.
Meneer Kauwenaar is zo in de war dat hij niet meer weet waarvoor hij is gekomen en loopt de klas uit.
Nu weet meester Timo meteen iets heel speciaals van Sara: ze kan heel goed improviseren.
Na een tijdje weet hij al van negenentwintig kinderen iets bijzonders. Er is nog maar één jongen die hij moet bestuderen. Hij klimt in de lamp en kijkt naar Noël. Maar hij kan niks ontdekken. Noël kijkt altijd stilletjes voor zich uit. Daarom vinden de meeste kinderen hem saai. Maar in Noëls hoofd is het helemaal niet saai. Daar spelen zich de spannendste avonturen af. Maar hoe vaak meester Timo ook in de lamp hangt, dat kan hij niet zien.

Op een dag is Timo jarig. Jammer genoeg voelt hij zich niet zo feestelijk als andere jaren. Hij weet dat Noël mooi kan schrijven en moeite heeft met rekenen en dat hij een fijne jongen is, maar iets speciaals heeft hij nog steeds niet kunnen ontdekken. En dat zit hem behoorlijk dwars.
Als hij op school komt zitten de kinderen al in de

kring. Ze zingen voor hun meester en hebben allemaal een cadeautje bij zich. Ik verdien helemaal geen cadeautjes, denkt Timo. Want ik ben geen goeie meester.

Om de beurt geven de kinderen hun cadeautje. Als die allemaal zijn uitgepakt, ligt de klas bezaaid met cadeaupapiertjes.

'Noël heeft geen cadeautje!' roepen de kinderen.

'Welles,' zegt Noël. En dat is ook zo. Het zit alleen niet in een papiertje maar in zijn hoofd.

Hij loopt naar de meester en geeft hem een hand. 'Hartelijk gefeliciteerd, en dit is je cadeau,' zegt hij. En hij vertelt een verhaal.

Meester Timo luistert goed naar Noël. Hij ziet in zijn ogen dat het verhaal uit zijn eigen hoofd komt en dat hij het ter plekke verzint, zin voor zin.

Meester Timo is blij met het prachtige verhaal, maar het gelukkigst is hij met zijn ontdekking.

Eindelijk voelt hij zich echt jarig en hij maakt van zijn lichaam een hoepeltje.

'Lang zal hij leven!' roepen de kinderen en ze rollen hun jarige meester door de klas.

de ontdekking

'Zitten jij!' zegt Poeke als Piek wil opstaan. 'Nou moet je ineens zo nodig breien, hè? Wel toevallig.' Poeke haalt een foto uit het boek en houdt die Piek voor. 'Hier kun je niet tegen, geef het maar toe.'
'Het gaat helemaal niet om die klassenfoto.'
'Wel waar,' zegt Poeke. 'Je kunt het maar niet hebben dat ik het toen heb ontdekt.'
'Dat kwam alleen maar omdat ik verkouden was,' zegt Piek. 'Anders was ik er wel achtergekomen.'
'Verkouden?' Poeke wijst op de foto. 'Heb jij hier een rode neus? Nee dus. En ik zie ook geen snot. Als jij verkouden was, hingen er altijd twee dikke snotpegels aan je neus.'
'Ik was wel verkouden,' zegt Piek.
Ze krijgen ruzie en dat is niet de eerste keer.

Poeke en Piek zaten in groep drie toen juf Anja een reep chocola verlootte. 'Jullie mogen raden, een getal onder de vijfentwintig.' En ze schreef het goede cijfer achter op het bord zodat niemand het kon zien.
Poeke snoof, dat deed ze wel vaker. Maar dit keer gebeurde er iets vreemds in haar neus. Het begon met een heel branderig gevoel en daarna gingen haar neusvleugels trillen. Het gevoel werd minder

toen ze haar neus naar rechts draaide, maar toen ze naar links keek werd het juist erger. En toen hij de kant van Paul op wees werd het branderige gevoel zo erg dat ze ervan moest niezen.

Niemand lette op Poeke. Ze dachten alleen maar aan de reep die ze konden winnen en keken vol spanning naar de juf.

Toen iedereen aan de beurt was geweest, draaide de juf het bord om. Er stond een grote zeven op, het getal dat Paul had genoemd.

Paul werd rood omdat hij de reep had gewonnen. Maar Poeke werd nog veel roder en stootte Piek aan. 'Ik heb het geroken,' fluisterde ze.

'Je liegt,' zei Piek boos. 'Ik heb helemaal geen scheet gelaten.'

'Daar heb ik het niet over,' zei Poeke zachtjes. 'Ik heb de winnaar geroken...'

Sinds die dag liep Poeke snuivend over straat. En

Piek, die er niets van geloofde, liep maar achter haar aan.

Toen ze over het marktplein kwamen kneep Poeke in Pieks hand. En toen voelde Piek het ook! Met trillende neusvleugels liepen ze door. Zonder iets af te spreken gingen ze allebei dezelfde kant op. Toen ze vlak achter een meisje liepen gebeurde het weer. Maar nu bij alletwee tegelijk: 'Hatsjjjjjie...'

Het meisje had een lange vlecht waar je heel hard aan kon trekken. En over haar schouder hing een rode sporttas die je heerlijk kon afpakken en boven in een boom kon hangen. Maar Poeke en Piek lieten de vlecht en de sporttas met rust. Ze moesten weten of hun neus het goed had geroken en het meisje inderdaad een winnaar was.

Meestal begonnen Poeke en Piek al te zeuren als ze een paar stappen moesten lopen, maar nu volgden ze het meisje zonder mopperen, helemaal tot aan de sporthal. Daar waren zoveel mensen dat ze haar bijna kwijtraakten. Gelukkig zag Poeke nog net een vlecht door de deur van de kleedkamer verdwijnen.

Ze liepen met de stroom mensen mee en gingen op de tribune zitten. Maar wel vlak bij de ingang zodat ze de kleedkamer in de gaten konden houden. Het duurde even, maar toen kwam er een groep meisjes naar buiten. Ze hadden allemaal hetzelfde turnpak aan. Piek stootte Poeke aan. Het meisje met de vlecht liep ertussen!

De voorzitter van de turnvereniging heette iedereen welkom. Daarna gaven de deelnemers om de beurt een korte voorstelling op muziek. Het meisje met de vlecht klom heel hoog in de touwen en liet één hand los.

'Ik hoop niet dat ze eruit valt,'
fluisterde Piek.

'Ik ook niet,' zei Poeke zachtjes.
'Als ze straks beneden ligt met een
gebroken nek weten we nóg niet of
ze de winnaar is. En dan hebben
we hier al die tijd voor niks naar
dat stomme gedoe zitten kijken.'

Eindelijk was het moment aangebroken dat de winnaar bekend
werd gemaakt. Poeke en Piek keken
vol spanning naar de rij deelnemers die keurig naast elkaar stonden.

Na een korte toespraak werd de
naam van de winnaar genoemd. Er
werd geklapt en... het meisje met
de vlecht stapte naar voren.

de kleurwedstrijd.

Poeke rukt woedend een foto uit het boek waarop
ze met rolschaatsen staan en houdt er een aansteker
onder.
'Niet doen!' gilt Piek.
'Geef het dan toe!' zegt Poeke.
'Oké, oké, ik was niet verkouden. Het was jouw
ontdekking!'
'Hè hè, we zijn er.' Poeke legt de aansteker weg.
Piek bekijkt de foto. 'Die rolschaatsen hadden we
wel aan mij te danken.'
'Niet weer, hè,' zucht Poeke. 'Dat verhaal heb ik al
duizend keer gehoord.'

Toen ze acht jaar waren schreef het winkelcentrum bij hen in de buurt een kleurwedstrijd uit. De
eerste prijs was een paar rolschaatsen.
'Die rolschaatsen winnen wij,' zei Piek.
'Hoe dan?' vroeg Poeke. 'We kunnen helemaal niet
netjes kleuren.'
'We hoeven niet te kleuren. Dat doet een ander
wel voor ons.' Piek wees op haar neus.
'Je hebt gelijk!' riep Poeke. 'We kunnen de winnaar ruiken!'
En ze renden naar buiten.

Poeke en Piek hadden al heel lang rolschaatsen op hun verlanglijstje staan, maar omdat ze op school hun best niet deden, kregen ze ze niet van hun ouders.

Wilbert mocht wel rolschaatsen. Maar wat moest hij ermee? Hij had niet eens tijd om buiten te spelen. Elk uur dat hij vrij had, zat hij te leren. Hij had zich voorgenomen de geleerdste man van de stad te worden. Dan zouden de mensen eindelijk vergeten dat zijn ouders zulke gemene dochters hadden, en dan zouden ze het alleen nog maar over hem hebben.

Poeke en Piek liepen hand in hand door de straat. Bij elke deur bogen ze iets voorover, deden de klep van de brievenbus omhoog en staken om de beurt hun neus naar binnen.

'Wat doen die nou?' fluisterden de kinderen die op straat aan het spelen waren.

Na elke straat werd de groep kinderen die Poeke en Piek achtervolgde groter. Van achter geparkeerde auto's bespiedden ze de twee zussen. Ze snapten er niks van wat die twee deden.

Toen Poeke en Piek elkaar voor een blauwe deur ineens omhelsden waren ze helemaal verbaasd. En wat was er zo interessant in dat huis, dat ze zo lang naar binnen moesten kijken?

Een meisje dat iets dichterbij durfde te komen, zag door het raam een jongen met zwarte krullen die aan het kleuren was aan tafel zitten . Zodra Poeke en Piek zich omdraaiden schoot het meisje weer achter de auto. Even leek het alsof Poeke en Piek haar niet hadden opgemerkt en gewoon langs zouden lopen, maar ineens schoten ze met hun grote grijpvingers op de geparkeerde auto af. 'Wie zullen we opsluiten?' De groep kinderen stoof gillend uit elkaar.

Tevreden liepen Poeke en Piek naar het winkelcentrum en gingen de supermarkt in. De muur achter de kassa was al voor de helft gevuld met kleurplaten. Ze wisten zeker dat-ie aan het eind van de middag helemaal vol zou hangen, want dan moesten alle kleurplaten zijn ingeleverd.

Poeke en Piek haalden er stiekem een paar af en smokkelden die onder hun jas mee naar buiten. Met het stapeltje kleurplaten in hun hand gingen ze voor het winkelcentrum staan.

'Bij ons moet je je kleurplaat inleveren,' zeiden ze tegen de kinderen die kwamen aanlopen. 'Wij moeten ze voor straf op alfabet leggen en opprikken.'

De kinderen, die wel gewend waren dat Poeke en Piek straf hadden, geloofden hen natuurlijk.

'Daar heb je hem!' fluisterde Poeke.

'Bij ons inleveren,' zei Piek tegen de jongen met de zwarte krullen. Even aarzelde hij. Poeke en Piek hadden wel eens een muis in zijn nek gestopt. Maar toen hij de stapel kleurplaten in hun hand zag gaf hij zijn kleurplaat toch maar af.

Poeke en Piek holden ermee naar de bosjes. In het voorbijgaan propten ze de andere kleurplaten in een prullenbak. 'Die winnen toch niet.' In de struiken, waar niemand hen kon zien, krasten ze de naam van de jongen door en zetten hun eigen naam er voor in de plaats. Daarna leverden ze de kleurplaat in.

De uitslag werd diezelfde week nog bekendgemaakt: Poeke en Piek Zandstra hadden de rolschaatsen gewonnen.

Met de armen om elkaar heen en elk aan hun buitenste voet een rolschaats gleden ze door de straat. Met hun andere voet zetten ze zich af en als ze genoeg vaart hadden, deden ze hun middelste benen gestrekt naar achteren.

In het begin kwamen ze niet zo snel vooruit, maar na een tijdje werden ze er heel handig in.

de prijzenkast

Poeke en Piek zorgen ervoor dat ze niet opvallen in de straat. Ze wieden op tijd hun tuin, lappen geregeld hun ramen en maken zo nu en dan een praatje met de buren.

Vandaag hebben ze zelfs de buurvrouw op de koffie uitgenodigd. Van de spanning zijn ze de hele ochtend al aan het kibbelen. Ze zijn bang dat ze per ongeluk uit hun rol vallen en ineens iets gemeens tegen de buurvrouw zeggen.

Eindelijk gaat de bel.

'Kijk eens wat ik voor jullie heb gebakken?' De buurvrouw houdt trots een taart in haar handen.

Het liefst zouden Poeke en Piek hun been uitsteken zodat de buurvrouw met haar zelfgebreide jurk voorover in haar zelfgebakken taart zou vallen. In plaats daarvan snijden ze keurig een punt uit de taart.

'Is hij niet heerlijk?' vraagt de buurvrouw als ze een hap nemen.

Piek en Poeke gedragen zich heel goed en prijzen de bakkunst van de buurvrouw. 'We hebben nog nooit zo'n heerlijke taart geproefd!' zeggen ze.

Ze luisteren zelfs geduldig als de buurvrouw over haar man begint. 'Ik heb zo'n medelijden met die schat,' zegt ze. 'Hij moet zo hard werken. Hij komt elke avond pas heel laat thuis.'

Hij werkt helemaal niet hard! Weet je waarom hij zo laat thuiskomt? Omdat hij elke avond met een andere vrouw op stap gaat. Het ligt op het puntje van hun tong. Maar ze schudden bezorgd met hun hoofd. 'Tss... het is wat, hè?'

'Jullie raden nooit wat ik ga doen,' zegt de buurvrouw stralend.

Heel ver de zee in zwemmen, zodat je niet meer terug kunt en verdrinkt. Poeke slikt het nog net in.

Helemaal naar de bovenste verdieping van de torenflat en dan naar beneden springen, wil Piek zeggen.

'Nou?' vragen ze zogenaamd geïnteresseerd.

'Ik ga drie dagen per week in de slagerij werken,' zegt de buurvrouw.

Dan mag je wel oppassen met die varkenskop van je, denken Piek en Poeke allebei tegelijk. Anders snijdt de slager nog per ongeluk een onsje van jou af.

'Daar bent u nou echt geschikt voor,' zeggen ze. En ze presenteren nog een stukje taart.

De buurvrouw vertelt altijd alle

nieuwtjes. 'Hebben jullie al gehoord dat...' begint ze dan.

Poeke en Piek luisteren meestal niet eens.

'Hebben jullie al gehoord dat de burgemeester een verhalenwedstrijd heeft uitgeschreven?' vraagt de buurvrouw dit keer. 'De winnaar krijgt een zilveren beker.'

'Een zilveren beker?' Poeke en Piek raken er meteen heel opgewonden van. Dat is echt iets voor hun prijzenkast! Maar daar mag de buurvrouw niets van weten. Voordat ze hun mond voorbijpraten en hun geheim uitlekt, moeten ze haar kwijt. Poeke haalt een fopspin uit haar zak en zet die ongemerkt naast de voet van de buurvrouw. 'Wat heeft u een beeldige schoenen aan,' zegt ze schijnheilig.

'Heel modieus,' zegt Piek.

'Vinden jullie?' Als de buurvrouw omlaag kijkt, geeft ze een gil en springt op. 'Ik moet weg... ik heb nog zoveel te doen... Ik moet nog afwassen en de bedden opmaken.' En terwijl ze alles opsomt wat er maar in een huis gedaan kan worden, loopt ze haastig de kamer uit.

Poeke en Piek zuchten opgelucht als de deur achter haar in het slot valt. Ze weten zeker dat de buurvrouw niets vermoedt. Ook al zou ze de koperen sleutel tussen de vakantiesouvenirs hebben zien hangen, dan zou ze vast denken dat die daar gewoon voor de sier hangt. Net als de beeldjes en de asbakjes die Poeke en Piek van hun vakanties hebben meegenomen.

De twee zussen draaien opgewonden de deur op slot en doen de gordijnen dicht. Daarna rennen ze naar de kamer. Ze verdringen elkaar bij deuropening

omdat ze allebei het eerst bij de sleutel willen zijn. Piek, die iets sterker is, wint, rent de kamer in en grijpt de sleutel. Maar Poeke, die soms iets slimmer is, trapt keihard op Pieks tenen.

Poeke rent met de sleutel naar de gang, waar verschillende deuren op uitkomen. Op één deur zit een groot koperen slot. Poeke stopt de sleutel erin en draait hem om.

Piek gaat achter haar zus aan het donker in. Op de tast knippen ze het licht aan. Even worden ze verblind. Dat komt door de schittering van de opgepoetste bekers die hen tegemoet straalt. De prijzenkast reikt helemaal tot het plafond.

Op een houten keukentrapje, dat ze gebruiken als ze boven in de prijzenkast moeten zijn, en een tafeltje en twee klapstoelen na, staat er niets in de kamer. De rolluiken zijn altijd gesloten zodat niemand naar binnen kan kijken.

Poeke en Piek lopen grinnikend naar de prijzenkast die bijna vol is. Er is nog ruimte voor twee bekers.

'Hier komt de beker van de verhalenwedstrijd te staan.' Poeke wijst naar de lege plek.

Piek knikt. 'En dan hoeven we er nog maar één en dan krijgt papa de prijzenkast te zien.'

Naar dat moment hebben Poeke en Piek jarenlang toe gewerkt.

Hugo de Groot

Poeke en Piek zaten in groep zes toen ze weer eens met een slecht rapport thuiskwamen. 'Jullie moesten je schamen!' schreeuwde hun vader. 'Neem een voorbeeld aan je broer. Die gebruikt zijn talenten tenminste.'

'Wilbert zit altijd alleen maar te studeren,' zei Poeke die medelijden met haar broer had.

'Hij heeft nergens anders meer tijd voor,' zei Piek.

'Later wordt hij ervoor beloond,' zei hun vader. 'Dan is hij de geleerdste man van de stad, wat zeg ik? Van het land. Misschien wel van de hele wereld. Dan doet hij de ene uitvinding na de andere. En niet zomaar flutuitvindinkjes. Nee, heel belangrijke waar je een prijs mee kunt winnen. Op een dag heeft jullie broer een kast vol met prijzen. Wat zal ik trots zijn als een van mijn kinderen een kast vol prijzen kan laten zien. Dat is voor een vader het mooiste wat er bestaat. En helemaal voor een vader die twee dochters heeft die hem te schande maken en van wie niets terechtkomt. Enkel en alleen omdat ze hun talenten weigeren te benutten.'

'Maar papa, wij gebruiken toch ook ons talent,' zei Poeke.

'Ja,' zei Piek. 'Ons talent is dat we heel goed kunnen pesten.'

'Daar bereik je niets mee,' bulderde hun vader. 'Ik

heb nog nooit gehoord dat iemand daar iets mee won.'

Poeke en Piek vonden het helemaal niet leuk wat hun vader zei. Ook al pestten ze iedereen, ze hielden van hun ouders en ze wilden dat die ook trots op hen waren. Ze deden dan wel niet hun best op school, maar de rolschaatsen hadden ze niet voor niets gewonnen. Dat was het bewijs dat ze slim waren. Maar hun vader gaf blijkbaar niets om rolschaatsen. Hij wilde per se een kast vol prijzen zien.

Vol trots glijden hun ogen over de bekers die ze al hebben gewonnen. 'Dat is mijn lievelingsbeker.' Piek wijst omhoog. 'Dat komt omdat die de eerste was.' Poeke pakt hem uit de kast en zet hem op het tafeltje. Piek gaat al klaar zitten. Ze tellen hardop. Bij 'Drie' steken ze hun neus in de beker en knijpen hun ogen stijf dicht. En dan komt het verhaal langzaam terug...

In hun dunne nek voelden ze de stevige greep van de hand van hun vader. Ze werden een kamer ingeduwd waarvan alle muren bedekt waren met schoolborden, volgekrijt met stellingen en ingewikkelde formules. Op de papieren rolgordijnen die de ramen bedekten stonden rijen jaartallen. En over het bed eronder lag een sprei waarop de wereldkaart stond afgebeeld. De vloer lag bezaaid met stapels boeken.

De twee lange neuzen wezen naar een bureau dat bedolven was onder een bouwwerk van boeken. In het midden van het bouwwerk zat op bureauhoogte een opening. Als je goed keek, kon je daardoorheen het hoofd van Wilbert zien, dat gebogen over een woordenboek zat.

'Hier kunnen jullie nog wat van leren!' De knoki-
ge vingers van hun vader knepen nog iets harder. 'Jij
wordt later beroemd jongen. Jij gaat zoveel prijzen
winnen dat je op de televisie komt.'

Het vermoeide hoofd knikte en de wazige ogen
keken heel even van het boek op, maar vlogen daarna weer over de bladzij heen en weer. Wilbert had
nog heel wat tijd in te halen. De avond ervoor kende
hij eindelijk na maanden studeren het woordenboek
uit zijn hoofd, en lag hij nog prima op schema. Toen
zijn vader hem overhoorde had hij van de driedui-
zend woorden die hij moest spellen er niet één fout.
Maar 's ochtends werd op de radio de nieuwe spel-

ling bekendgemaakt. Dat betekende dat Wilbert weer van voren af aan moest beginnen.

'Jullie blijven hier de hele middag staan,' bulderde hun vader. 'Dan kunnen jullie bij je broer zien hoe je moet studeren.' Hij knoopte Poeke en Piek met de veters van hun schoenen aan het bureau vast. 'Laat ik niet merken dat jullie ze losmaken,' zei hij dreigend en hij liep weg.

Poeke keek Piek aan. 'Eigenlijk mag het niet, maar we doen het voor papa.'

'Omdat we zoveel van hem houden,' zei Piek.

Poeke knikte. 'En zodat hij later trots op ons kan zijn.'

'Dan moet het maar.' En zonder de veters los te maken stapten ze uit hun schoenen, trokken hun gympen aan, schoven het raam open en klommen naar buiten.

Hand in hand renden ze naar de boulevard.

Het strand zat vol kinderen die een zandkasteel aan het maken waren. Piek en Poeke kregen onmiddellijk allerlei ideeën. Ze hadden zin om die lieve gezichten eens lekker te laten zandhappen. Maar een kwal in iemands nek stoppen leek hen ook leuk. Er was zoveel voor hen te doen, dat ze bijna niet konden kiezen. Want naast sommige kinderen lag een spiksplinternieuwe schep. Ze gniffelden bij de gedachte die af te pikken en in de zee te gooien.

De glimmende zilveren beker die in de zon schitterde zorgde ervoor dat ze zich beheersten.

Zonder ook maar iemand te laten struikelen zodat hij in zijn eigen zandkasteel viel en er niks van overbleef, liepen ze over het strand. Het branderige gevoel dat in hun neus kwam werd bij elke snuif erger. Hun neusvleugels trilden, tot hun neus zo begon te prikkelen dat ze ervan moesten niezen. Ze liepen net langs een meisje met blond piekhaar. 'Welk kasteel wordt dit?' vroeg Poeke met haar liefste stem aan het meisje die net een dak op een toren zette.

'Het slot Loevestein,' zei het meisje.

Piek en Poeke keken elkaar aan, draaiden zich om en renden naar huis.

'Wat is het slot Loevestein voor kasteel?' vroegen ze zodra ze hijgend voor Wilberts bureau stonden.

Als een sprekende encyclopedie begon Wilbert over het slot te vertellen. Wanneer het gebouwd was en wie daar had gewoond. Van saaiheid moesten Piek en Poeke gapen.

Op het moment dat Wilbert over Hugo de Groot en zijn boekenkast begon, waren ze weer een en al oor.

Wilbert ging zo in de geschiedenis van slot Loevestein op dat hij niet merkte dat z'n zussen er alweer vandoor waren.

Met een paar boeken onder hun arm die ze snel van Wilberts bureau hadden gegrist, kwamen ze het strand opgerend. Het meisje met het piekhaar had hard doorgewerkt. Om het slot had ze een gracht gegraven die ze door een ophaalbrug van zand met het land had verbonden.

'Heb jij die beker gezien?' vroeg Piek.

Het meisje knikte.

'Wij weten hoe je die kunt winnen,' zei Poeke. 'Maar je mag nooit vertellen dat wij je hebben geholpen. Je bent namelijk iets vergeten.'

'Ja,' zei Piek. 'Hugo de Groot. Die hadden ze in het slot Loevestein gevangengezet.'

Het meisje keek verschrikt naar het zandkasteel. 'Nou kan hij er niet meer bij.'

'Dat hoeft ook niet,' zei Piek. 'Want hij is ontsnapt in een boekenkist. Als jij Hugo de Groot bent, laten wij jou ontsnappen. Dan win je zeker.'

'Maar ik kan geen boekenkist van zand maken,' zei het meisje.

'Wij kunnen dat wel,' zei Piek. 'En dan stoppen we jou erin.'

'Dan moet hij hier staan.' Het meisje wees naar een plek vlak naast het kasteel.

'Natuurlijk niet,' zei Poeke. 'Dan nemen ze je toch zo weer gevangen. Hugo de Groot is naar Frankrijk gebracht. Daar is Frankrijk.' En ze wees in de verte.

Het was niet moeilijk voor Piek en Poeke om het meisje in te graven. Maar wel om niet een hap zand in haar mond te stoppen. Daarom legden ze maar gauw als in een echte boekenkist een paar boeken over haar gezicht. En zij stonden naast het kasteel toen de jury langskwam. De jury was onder de indruk en wilde weten hoe ze op het idee waren gekomen. Poeke vertelde dat slot Loevestein hun lievelingsslot was, omdat ze het zo knap van Hugo de Groot vonden dat hij daaruit was ontsnapt.

Terwijl de jury aantekeningen maakte, lag het blonde meisje maar in het zand. Ze vond er allang niks meer aan om Hugo de Groot te zijn.

'Ik wil naar mijn kasteel!' riep ze. Maar niemand hoorde haar, en ze kon niet ontsnappen, omdat haar armen ingegraven zaten.

De jury was het roerend met elkaar eens. Slot Loevestein had gewonnen. Piek en Poeke namen de prachtige beker in ontvangst. Iedereen kreeg nog een ijsje, maar daar wachtte de tweeling niet op. Ze renden naar het meisje en rukten de boeken van haar gezicht.

'Heb ik gewonnen?' vroeg het meisje blij toen ze de beker zag.

'Die beker is van ons. Jij hebt dit gewonnen.' En Piek raapte een krab op, zette die op de neus van het meisje en rende weg.

'Help!' schreeuwde het hoofd dat boven het zand uit kwam.

Een paar kinderen kwamen aangerend en groeven het meisje uit.

Piek en Poeke renden met de beker naar huis. Ze verstopten hem onder het bed, want hij moest voor hun vader verborgen blijven. Pas als ze een prijzenkast vol bekers hadden kreeg hij hem te zien. Ze trokken hun gympen uit, gingen vlug Wilberts kamer in en stapten in hun schoenen. Wilbert was nog steeds bezig met het opsommen van geschiedkundige feiten.

'Hugo de Groot leefde van 1583 tot 1645.' Hij keek zijn zussen tevreden aan. 'Ik denk dat ik jullie nu wel genoeg over slot Loevestein heb verteld. Hebben jullie nog vragen?'

'Ik heb nog een vraag,' zei hun vader die net binnenkwam. 'Hebben jullie iets van Wilbert geleerd?'

'Ja pap,' zeiden Poeke en Piek braaf.

'Zo mag ik het horen,' zei hun vader. 'Ga dan maar weer spelen.' En hij maakte hun veters los.

de fladderjurken

Overal in de stad komen verhalen voorbij. In schriften, op blocnotes en op losse velletjes papier. In grote en kleine handen, boodschappentassen, koffertjes en rugzakken. Al die verhalen zijn onderweg om in het gemeentehuis te worden voorgelezen.

Daar zal de burgemeester na afloop de beker aan de winnaar overhandigen.

Een van die verhalen zit in Noëls hoofd. Hij is ook op weg naar het gemeentehuis. Om hem heen gebeurt van alles. Links van hem hoort hij geruzie, rechts van hem gelach. Hij zou er best even naar willen kijken, maar hij is bang dat er dan nog een verhaal in zijn hoofd opkomt en nog één en dat hij ze bij de wedstrijd door elkaar gaat halen. Daarom blijft hij recht voor zich uit kijken. Maar daar lopen Poeke en Piek juist zoekend rond. Ze hebben een rode pruik opgezet en hun keurige mantelpakjes verwisseld voor een rode en blauwe fladderjurk. Met hun lange spitse neuzen die ver vooruitsteken lopen ze maar te snuiven.

Noël doet gauw zijn ogen dicht, maar het is al te laat. De snuivende Fladderjurken worden al een verhaal. Noël schrikt. Het mag geen verhalenstamppot worden in zijn hoofd. Hij gaat gauw op een bankje zitten met zijn ogen dicht.

Hij hoort voetstappen en even daarna genies, maar hij houdt zijn ogen stijf dicht. Ook als hij een warme neus in zijn nek voelt kijkt hij niet.

'Dit moet hem zijn,' fluistert Poeke.

Piek kan het niet geloven. 'Zo'n sloom jochie?'

'Onze neus heeft ons nog nooit bedrogen,' zegt Poeke zachtjes.

Piek knikt.

Ze buigen hun gezicht naar Noël toe.

'Dag lieve jongen,' zegt Poeke. 'Heb jij een mooi verhaal bedacht?'

Noël wil niet onbeleefd zijn en doet zijn ogen open.

'Ja,' zegt hij. 'Het heet "De verborgen bliksem". Het is heel spannend, ik heb het zelf verzonnen.'

Poeke en Piek gaan elk aan een kant van Noël zitten.

'Mogen wij dat even lezen? Wij zijn dol op spannende verhalen.'

En ze steken hun hebberige vingers al uit.

'Dat kan niet,' zegt Noël. 'Het zit in mijn hoofd. Ik heb het niet opgeschreven, dat is nog te moeilijk. Ik zit pas in groep drie en ik kan nog maar een paar woorden schrijven.'

'Maar dan mag je niet meedoen,' zegt Poeke. 'Je moet het verhaal op papier inleveren.'

'En als je niet mee mag doen, kun je ook niet winnen,' zegt Piek.

Noël schrikt heel erg. Waarom heeft meester Timo hem niet verteld dat het verhaal op papier ingeleverd moest worden? Dan had hij gevraagd of zijn moeder het voor hem op wilde schrijven. Hij overweegt om terug naar huis te gaan, maar dat duurt te lang, dan komt hij nooit meer op tijd.

'Het is juist zo'n mooi verhaal,' zegt Noël.

'Kom maar op met dat verhaal, dan schrijf ik het wel voor je op.' Poeke haalt een rol papier en een ijzeren pennendoosje uit haar tas. Ze pakt er een pen uit en zet het lege doosje op de grond voor de bank.

Noël zucht opgelucht en hij begint meteen te vertellen.

Poeke schrijft het verhaal op. Piek haalt haar breiwerk uit haar tas en begint razendsnel te breien.

'Insteken, doorhalen, af laten glijden,' zegt ze. Ze

breit zo verwoed dat het getik van de pennen boven
het verhaal uitkomt. Noël let er niet op, die gaat
helemaal op in zijn verhaal.

'Insteken, doorhalen, af laten glijden,' klinkt het
hijgerig naast hem. De grote kluwen wol is al voor
de helft geslonken, zo snel gaat het.

'Hebbes,' zegt Poeke als Noël is uitverteld. En ze
rolt het papier op.

'Bedankt,' zegt Noël.

'Jij ook bedankt, onnozel scharminkel.' En Poeke
gaat er met het verhaal vandoor.

Piek trekt vliegensvlug haar pennen uit het breiwerk en rent grinnikend achter haar tweelingzus
aan.

'Hé, mijn verhaal!' Noël wil ze achternalopen,
maar het gaat niet. Hij kan zijn armen niet bewegen
en zijn benen ook niet. Dan ziet hij pas hoe dat
komt. Ze hebben hem aan de bank vastgebreid.

Een kunstwerk

In het park worden geen taartjes in de zandbak
gebakken en er hangt ook niemand aan het klimrek.
Zelfs de eenden worden niet gevoerd. Iedereen is in
het gemeentehuis.

Ik red het nooit meer, denkt Noël.

Maar dan ziet hij dat er een bus met toeristen
voor het park stopt. Hij kijkt naar een vrouw en een
man die uitstappen en het park ingaan.

Noël zucht opgelucht als ze zijn kant op komen.

'Wow!' roepen ze als ze Noël zien en ze wenken
naar de bus.

De deuren van de bus gaan open en de rest van
het gezelschap stapt uit. Ze verdringen zich met
camera's om Noël.

'Fantastic!' roepen ze.

Eerst nemen ze alleen een foto van Noël, maar
daarna poseren ze naast hem en achter hem met hun
arm om hem heen.

Sommigen slaan reisgidsen open om te kijken of
Noël erin staat afgebeeld.

'Ik ben geen kunstwerk!' roept Noël. 'Maak mij
alstublieft los!'

Ze verstaan hem niet en kijken elkaar vragend aan.

'Yes!' roept een man.

Gelukkig, denkt Noël, hij begrijpt me. Maar de man wijst naar het pennendoosje dat Poeke in de haast vergeten heeft en dat nog op de grond staat. Hij maakt zijn portemonnee open en laat er een paar munten in vallen. Een tel later regent het geld in het doosje.

'Ik wil helemaal geen geld,' zegt Noël. 'Ik wil los.'

'*Bye bye!*' De toeristen zwaaien vriendelijk naar hem en lopen weer weg.

Noël geeft de moed bijna op als er een oude dame aankomt.

'Wie heeft dit gebreid?' Haar mond valt open als ze Noël ziet.

Ze haalt haar bril uit haar tas en bestudeert de steken. 'Wat knap!'

'Wilt u mij losmaken?' vraagt Noël.

'Losmaken?' zegt de vrouw geschrokken. 'Zo'n mooi breiwerk ga je toch niet uithalen! Ze hebben

het alleen vergeten af te kanten. Wat een geluk dat ik net langskom. Ik haal meteen mijn breipennen.' En ze loopt weer weg.

Als ik nu niet snel word bevrijd, is de wedstrijd voorbij, denkt Noël.

Net op dat moment komt er een bal aanrollen. Een hond rent erachteraan. Als de bal de struiken in rolt is de hond hem kwijt. 'Pak 'em!' klinkt het vanuit de verte. 'Pak je bal!'

De hond snuffelt bij de bank en ontdekt de kluwen wol die aan de draad van het breiwerk vastzit. Hij denkt dat het zijn bal is, neemt de kluwen in zijn bek en holt ermee naar zijn baas. De draad wordt steeds langer en het breiwerk kleiner tot er nog maar één draadje over is.

Hij is los! Noël springt blij op en rent naar het gemeentehuis.

de verhalenwedstrijd

De burgemeester houdt van orde en netheid. Hij heeft voor alles regels opgesteld waar hij nooit van afwijkt en hij is heel stipt. Maar hij heeft ook een eigenaardigheid. Hij wordt panisch bij de gedachte dat een apparaat dat hij nodig heeft, opeens kapot kan gaan en niet onmiddellijk vervangen kan worden. Als hij naar muziek luistert, is hij bang dat midden in de symfonie zijn cd-speler ermee ophoudt. Diezelfde angst overvalt hem als er een mooie film op de televisie is. Daarom heeft hij van alle belangrijke apparaten in huis er twee aangeschaft. Hij heeft twee televisies, twee koelkasten, twee stofzuigers, twee koffiezetapparaten en twee cd-spelers.

Op zijn werk heeft hij het probleem opgelost door in de kelder van het gemeentehuis een kluis te laten plaatsen. De code houdt hij voor zichzelf zodat niemand weet dat daar een extra computer in staat en een fax en andere dingen die hij belangrijk vindt.

Het vervelende is dat de burgemeester die angst niet alleen bij apparaten heeft, maar ook bij mensen. Hij durft dan ook geen vriendschap te sluiten, want van een vriend zijn er nooit twee hetzelfde. En ook niet van een geliefde. Hij valt op flinterdunne vrou-

wen. Zodra hij zo'n magere vrouw in zijn armen wil
nemen is hij bang dat ze breekt en dan durft hij het
niet meer. Hij heeft zichzelf bezworen nooit meer
verliefd te worden.

Maar als Poeke met het opgerolde verhaal onder
haar arm het gemeentehuis binnenstapt en hij haar

dunne lichaam ziet, krijgt hij op slag vlinders in zijn buik.

Niet doen! zegt hij tegen zichzelf. Richt je aandacht op iets anders. Wat heb je eraan? Als je haar wilt omhelzen ben je toch bang dat ze breekt.

Hij kan zijn geluk niet op als Piek een minuut later ook binnenkomt. Ze zijn precies gelijk! denkt hij en zijn angst valt weg.

Zijn tenen jubelen in zijn schoenen, zodat hij niet meer stil kan staan. Zijn hart maakt zo'n hoge sprong dat het knoopje van zijn boord eraf vliegt en de strop uit zijn das schiet. Het puntje van zijn neus krult om, zijn oren bewegen en de paar haren die zijn kale hoofd moeten bedekken wapperen als vlaggen in de wind.

Dat mij dit mag overkomen, denkt hij. En dat op de dag van de wedstrijd...

Trots kijkt hij het gemeentehuis rond dat propvol verhalen zit met gezichten erachter.

De hoogste ambtenaar verwelkomt uitvoerig alle deelnemers en kondigt daarna met plechtige stem aan dat de burgemeester een toespraak over het nut van verhalen zal houden.

De burgemeester, die anders altijd met gewichtige pas en gebogen hoofd naar voren loopt, springt op.

'Nut? Nut? Wat is dat nou voor flauwekul. Verhalen verzinnen is gewoon één groot feest. Hoor je me Van Delden, het is feest. Waar is de taart?'

'Maar meneer de burgemeester,' zegt de hoogste ambtenaar die niet weet wat hij hoort. 'We kunnen hier in het gemeentehuis toch geen taart eten? Zo meteen knoeien ze al onze belangrijke dossiers onder.'

'Hou toch op over die dossiers.' De burgemeester lacht hem uit. Hij heeft alleen maar oog voor Poeke en Piek. 'Er staat allemaal onzin in. Vooruit met die taart.'

De burgemeester wrijft in zijn handen en kijkt naar de deelnemers. 'Ziezo. Ik ben benieuwd wat jullie hebben bedacht.'

De kinderen en de grote mensen die aan de wedstrijd deelnemen vormen een keurige rij. Dat zijn ze zo gewend. In voorgaande jaren legde de burgemeester zelfs een meetlat langs de rij om te kijken of ie wel kaarsrecht was.

'Alsjeblieft!' roept de burgemeester uit. 'Niet zo stijf. Maak maar een grote kring, dan wijs ik aan wie mag beginnen.' En hij gaat in het midden van de kring staan en draait met gesloten ogen en een uitgestoken arm in het rond. Maar zelfs onder het draaien kan hij het niet laten om af en toe door de spleetjes tussen zijn oogleden naar Poeke en Piek te gluren. Na een paar rondjes houdt zijn arm stil bij een heel verlegen meisje. Iedereen is verrast door het verhaal, maar nog meer door het gedrag van de burgemeester die bij elke grap buldert van het lachen en de hoogste ambtenaar telkens weer op zijn schouder slaat. En dat terwijl hij vorig jaar nog met een kritische blik luisterde, zelfs geërgerd kuchte als iemand een woord verkeerd gebruikte. Ook onderbrak hij voortdurend om een zin te verbeteren. En als iemand haperde, liet hij hem het woord opnieuw lezen.

Maar vandaag laat hij iedereen uitvertellen. Als de helft van de deelnemers hun verhaal heeft voorgelezen, last hij zelfs een pauze in.

'Muziek, Van Delden.' roept hij. 'Waar is de muziek?'

'Muziek? Hier in het gemeentehuis?' vraagt meneer Van Delden.

'Juist in dit saaie gemeentehuis,' zegt de burgemeester. 'Het wordt tijd dat hier eens een beetje leven in de brouwerij komt.' En hij haalt het draaiorgel dat voor de deur staat te spelen binnen en vraagt Poeke en Piek samen ten dans.

Als het aan de burgemeester ligt, komt er nooit een eind aan de pauze. Hij is zo verliefd dat hij maar door blijft dansen. Ook als de muziek allang is opgehouden en het draaiorgel alweer weg is. Meneer Van

Delden kucht een paar keer, maar ook dat hoort hij niet. Pas als op verzoek van meneer Van Delden alle kinderen met hem mee kuchen krijgt hij iets door.

De pauze is meteen afgelopen en de burgemeester draait weer in het rond. Zijn arm blijft stilstaan bij Poeke en Piek.

Poeke en Piek rollen het verhaal uit. 'De verborgen bliksem,' klinkt het uit twee monden en daarna lezen ze om de beurt een regel voor. Ze zijn nog maar bij het begin als er een hard gekrijs opklinkt. Het komt uit de richting van juf Aafje en het wordt steeds harder. Zo hard dat Poeke en Piek er niet meer bovenuit kunnen komen. De burgemeester werpt een woedende blik op de juf. 'Wilt u daar onmiddellijk mee ophouden,' anders laat ik u verwijderen.'

Juf Aafje wordt rood van schaamte. 'Neem mij niet kwalijk burgemeester.' Ze wijst naar haar haar. 'Dat doet Twiet, mijn vogel. Ik snap ook niet waarom hij zo boos is. Hij houdt juist zo van verhalen.'

'Zorg ervoor dat dat beest zijn snavel houdt,' zegt de burgemeester.

Even lijkt het of Twiet het hoort en daarom ophoudt met krijsen. Maar zodra Poeke en Piek verderlezen begint hij weer. Voordat de burgemeester nog kwader wordt, stapt juf Aafje op. 'Wilt u alstublieft opnieuw beginnen, dames,' vraagt de burgemeester. 'Dat beest maakte zo'n lawaai dat we er niks van hebben verstaan.'

Tijdens de meeste verhalen werd af en toe gepraat, maar bij Poek en Pieke is iedereen stil. De burgemeester is ook diep onder de indruk.

'Dat dit verhaal is verzonnen, in mijn stad...' Hij krijgt tranen in zijn ogen van ontroering en verliefdheid. Hij is zo gelukkig dat hij niet langer alleen hoeft te blijven, dat hij de hoogste ambtenaar op zijn kale hoofd kust.

De burgemeester draait in het rond tot hij er duizelig van wordt, maar na het succes van Poeke en Piek durft niemand zijn verhaal meer te laten horen. Sommigen rennen zelfs naar de prullenbak om het weg te gooien.

'Niet doen!' roept de burgemeester. 'We hebben feest! We gaan er hoedjes van vouwen. Het mooiste verhaal dat op deze wereld bestaat is hier in onze stad verzonnen.' Hij vouwt voor zichzelf een hoedje en zet het op zijn hoofd.

'Een twee drie vier, hoedje van papier...' zingt hij en een lange stoet met feesthoedjes op slingert door het gemeentehuis.

De burgemeester kan er geen genoeg van krijgen.

'We gaan in optocht door de hele stad!' roept hij als ze het hele gemeentehuis zijn rond geweest. Maar bij de deur houdt meneer Van Delden hem tegen. 'Meneer de burgemeester, neem mij niet kwalijk, maar de jury vraagt of u de winnaar bekend wil maken.'

'Dat is ook zo.' De burgemeester slaat zich op zijn voorhoofd. 'Waar is mijn beker!' En hij rent naar zijn kamer om de beker op te halen.

Op dat moment komt Noël het gemeentehuis in.
Alle hoofden draaien zich om naar de deur die
opengaat.
　'Je bent te laat!' roept iedereen als ze Noël zien.
　Noël ziet de grote zilveren beker in de handen van
de burgemeester.
　'Dan is het nu tijd om de uitslag bekend te maken.
Het winnende verhaal heet: "De verborgen blik-
sem".'
　De burgemeester heeft de titel nog niet uitgespro-
ken of Poeke en Piek stuiven hand in hand naar
voren. Ze buigen zo diep voor de burgemeester dat

hun lange neuzen de grond raken.

'Dat klopt niet!' roept Noël. 'Ik ben de winnaar. Ik heb dit verhaal bedacht.'

De burgemeester begint te lachen.

'Jij bent me een lolbroek. Iedereen zou wel willen dat hij zo'n bijzonder verhaal kon verzinnen.'

'Het is geen grap,' zegt Noël. 'Ze hebben het van mij gestolen toen ik in het park zat.'

Nu kijkt iedereen naar Poeke en Piek, die doen alsof ze van verbazing omrollen.

'En waarom ben je hen dan niet achterna gegaan?' vraagt de burgemeester.

'Dat ging niet,' zegt Noël. 'Ze hadden me aan de bank vastgebreid.'

'Wat zeg je nou? Aan de bank vastgebreid... ha ha...' De burgemeester buldert van het lachen. Poeke en Piek gieren met hem mee.

'Fantastisch!' De burgemeester roept Noël naar voren. 'We hebben nog een troostprijs en die krijg jij. Hoe kun je het bedenken, jongen. Hartelijk gefeliciteerd.' En hij speldt Noël een medaille op.

Fotografen springen naar voren om een foto van Noël te maken.

'En dan ga ik nu over tot de prijsuitreiking,' roept de burgemeester.

'Het is niet alleen het knapste verhaal dat ik ooit heb gelezen,' zegt hij. 'Maar het is ook nog bedacht door de liefste en mooiste droomprinsessen van de wereld. Kom in mijn armen, Oogappeltjes.' Hij zet de beker op de grond en drukt Poeke en Piek tegen zich aan. Poeke en Piek bungelen met verschrikte gezichten boven de grond.

Behalve de noodkreten van Poeke en Piek is er

verder geen geluid te horen. Na een paar minuten klinkt hier en daar een gesmoord gegrinnik.

'Burgemeester!' Meneer Van Delden tikt hem op de schouder, maar de burgemeester is helemaal in trance.

'Mogen we nu onze beker?' fluisteren Poeke en Piek met poeslieve stemmetjes.

'O, eh... neemt u mij niet kwalijk.' De burgemeester laat de tweeling geschrokken los en overhandigt hun de beker.

'Het is niet eerlijk!' roept Noël. 'Die beker is voor mij.'

'Begin je nu alweer?' vraagt de burgemeester.

'Ik denk dat Noël gelijk heeft, burgemeester.' Meester Timo staat op. 'Volgens mij heeft hij het verhaal bedacht. Ik wist het meteen toen ik het hoorde. Zo'n verhaal kan alleen Noël verzinnen. En nu snap ik ook waarom Twiet zo boos was. Hij herkende Noëls verhaal.'

'Een vogel die een verhaal herkent...' De burgemeester schatert het uit. 'U bent wel de onnozelste meester die ik ooit ben tegengekomen. U wil zeker ook een medaille.'

'Nee,' zegt Timo. 'Ik wil alleen dat...'

Meneer Kauwenaar stoot hem aan. 'Hou op Timo, je maakt jezelf belachelijk. Dit kan een jongen van groep drie niet verzinnen. Denk nou eens na.'

'Noël kan dat wel,' zegt Timo.

'Moet je niet eens een tijdje vrij nemen, jongen,' zegt meneer Kauwenaar. 'Je lijkt wel overspannen.'

Terwijl Timo meneer Kauwenaar probeert te overtuigen, ziet Noël Poeke en Piek met de beker tussen hen in het gemeentehuis uitglippen.

kwaad

Zodra de voorleeswedstrijd is afgelopen holt Noël naar huis.

'Leugenaar! Bedrieger!' roept iedereen hem na.

Noël zegt niks terug. Ze komen er vanzelf wel achter dat hij de waarheid heeft verteld. Als zijn moeder hoort wat er is gebeurd, laat ze het er echt niet bij zitten. Noël hoopt dat ze de politie waarschuwt en dat die twee Fladderjurken dan worden opgesloten.

Hij rent naar binnen en doet de deur van het atelier open. Zijn moeder is verf aan het mengen.

'Ze hebben mijn verhaal gepikt,' zegt hij. 'Je moet de politie bellen.'

'De politie?' Mevrouw Aarts kijkt Noël aan. 'Ik denk dat ik beter de krant kan bellen. Gefeliciteerd jongen. Dat is de droom van elke kunstenaar, dat er ooit een kunstwerk van hem wordt gestolen.' En ze knijpt een tube verf leeg.

'Ja, ja,' zegt Noël. 'Wat een eer.'

Zijn moeder legt haar palet neer. 'Dat is echt zo. Vraag het maar aan de politie. Mensen stelen geld en computers en auto's en stereotorens, maar in een schilderij zijn ze nooit geïnteresseerd. En in een verhaal ook niet. Wees er maar trots op.'

'Wat nou, trots,' zegt Noël. 'Je doet net of het leuk is of zo. Ik had een beker kunnen winnen hoor!'

Zijn moeder doet een paar stappen naar achteren om haar schilderij beter te bekijken.

Noël wordt nu echt boos. 'Het kan je niks schelen, hè, dat ik geen prijs heb gewonnen.'

'Nee hoor jongen.' Zijn moeder kijkt hem aan. 'Ik ben toch wel trots op jou. Daar hoef je echt geen prijs voor te winnen. Je wil toch schrijver worden? Dan gaat het niet om prijzen winnen, maar om het creatieve proces.'

'Om wat?' vraagt Noël.

'Dat je het met plezier hebt bedacht, anders is de lol er zo af. Vond je het zelf een mooi verhaal?'

'Ja,' zegt Noël.

'Dat is het belangrijkste,' zegt zijn moeder. 'Dat je zelf achter je werk staat. En dan komt pas wat een ander ervan vindt. Maar daar hoef jij je helemaal niet druk om te maken. Jouw verhaal vinden ze zo mooi dat ze het zelfs hebben gestolen. Daar kan geen prijs tegenop.'

Ja hoor, denkt Noël. Aan haar heb ik ook echt niks. En hij loopt de deur uit.

Noël is nog niet buiten of het gescheld begint weer.

'Daar heb je die leugenaar!' Ze gaan om hem heen staan.

'Wat ga je nu weer verzinnen?'

'Dat-ie een prins is,' zegt een meisje lachend.

'Of dat zijn vader eigenlijk miljonair is...'

'Hou op!' schreeuwt Noël. De tranen springen in zijn ogen. 'Jullie moeten ophouden, ik heb niet gelogen.' En hij loopt hard weg.

 de Winnaars

Voor het gemeentehuis staat de fanfare opgesteld. Met de winnaars van de wedstrijd voorop en de andere deelnemers erachteraan willen ze in optocht door de straten gaan, zodat iedereen de prachtige glimmende beker kan bewonderen.

De burgemeester, die andere jaren nooit meeliep, staat vooraan in de stoet, met in elke hand een rode roos. Want behalve Noël heeft niemand Poeke en Piek door de achteruitgang zien verdwijnen.

De burgemeester wordt met de minuut ongeduldiger en laat het gemeentehuis doorzoeken. Als niemand Piek en Poeke kan vinden, stuurt hij een auto met luidspreker door de straten die het signalement van de winnaars moet omroepen.

Terwijl de feeststoet staat te wachten zijn Poeke en Piek zo snel als ze konden naar de rand van de stad gehold, naar een landje waar nooit meer iemand komt. Waar eerst kroppen sla en boerenkoolbladeren in keurige rijen boven de grond uitstaken, staan nu voetafdrukken van de tweeling in de aarde. Die voetsporen lopen over het uitgestorven schapenweitje langs de lege konijnenrennen naar een vervallen kippenhok.

Poeke duwt Piek het nachthok in. 'Vlug! Voordat er iemand aankomt.'

Ze doen hun pruiken af en proppen ze in de tas die onder het leghok staat. Daarna trekken ze vliegensvlug hun fladderjurken uit.

'Wat is er?' vraagt Poeke als Piek kreunend op haar hurken gaat zitten.

'Je stootte keihard met je elleboog in mijn buik,' zegt Piek.

'Ik dacht dat je een ei moest leggen.' En Poeke stopt haar jurk bij de pruiken en grist haar kleren van de stok.

'Waar zijn mijn schoenen gebleven?'

'Daar!' Piek wijst naar het leghok.

'Klaar!' Poeke staat al in de kippenren en duwt de brommer naar buiten.

'Nee Poeke, ik mag rijden!' roept Piek die de beker in de tas stopt. 'Jij hebt op de heenweg gereden.'

'Daarom moet ik ook terugrijden.' En Poeke start

de brommer en gaat vlug op het zadel zitten.

'Vals kreng!' Voordat Poeke wegrijdt springt Piek toch maar snel met de tas achterop.

Poeke geeft gas, de brommer spurt weg en op het landje blijft een rookwolk achter.

'Harder!' roept Piek. 'We moeten de beker thuisbrengen.'

'attentie attentie...!' horen ze achter zich uit de stad. 'Hier volgt een oproep van de burgemeester. Hij looft een beloning uit voor elke tip die kan leiden tot de opsporing van de winnaars van de verhalenwedstrijd. Hun signalement luidt...'

Piek en Poeke scheuren grinnikend door.

een beker met inscriptie

'Heel jammer voor je, burgemeestertje.' Poeke steekt de grote koperen sleutel in het slot. 'Maar helaas hebben deze prijswinnaressen geen tijd om feest te vieren.'

'Dat vinden we zelf ook heel treurig,' zegt Piek, die de tas met de beker erin naar binnen draagt. 'We hadden heus wel samen met u van een heerlijke slagroomtaart willen genieten. Dan zouden we hem lekker in die opgeblazen kikkerkop van u hebben gesmeerd. En in de optocht meelopen hadden we ook wel leuk gevonden. Dan zouden we u hebben laten struikelen en dan waren die monsterlijke konijnentanden van u er eindelijk eens uitgevallen.'

'Helaas,' zegt Poeke. 'We hebben iets véél belangrijkers te doen. We moeten onze spiksplinternieuwe zilveren beker in onze prijzenkast zetten.'

'De één na laatste! Daar is-ie!' En ze zet de beker met zo'n harde klap in de kast dat een andere op de derde plank omvalt.

'Voorzichtig!' Piek raapt hem op. 'Het is onze enige met een inscriptie.'

'Ik denk dat papa heel trots is als hij hem binnenkort te zien krijgt.' Poeke wrijft de beker met haar mouw op. En terwijl ze de inscriptie hardop voorleest denken ze terug aan de zomer dat ze twaalf jaar waren.

De zomervakantie duurde altijd heel lang. Daarom was de lijst met gemene dingen die Poeke en Piek hadden gemaakt ook heel lang. Hun vader die er niet aan moest denken na de vakantie weer te moeten verhuizen stuurde hen naar een zomerkamp in België. Achteraf waren Poeke en Piek hem daar heel dankbaar voor. Want de Belgische kinderen wisten niet dat hun hoofd echt kaal werd geknipt als ze met Poeke en Piek kappertje speelden. En ook niet dat je midden in het bos aan een boom werd vastgebonden als je met Poeke en Piek op ontdekkingstocht ging. En dat je dan vooral niet moest gaan huilen als je alleen werd gelaten, want dat er dan een handvol rode mieren in je nek werd gestopt.

Op een dag hadden Poeke en Piek voor straf de hele middag huisarrest. Maar in de kamer waar ze werden opgesloten zat een raam dat gewoon open kon. En naast het raam liep een regenpijp die je vanuit de vensterbank gemakkelijk kon vastpakken en waarlangs je naar beneden kon glijden. Poeke en Piek zaten dan ook nog geen tien minuten opgesloten of ze liepen al langs de beek in de richting van het dorp.

Halverwege bleef Poeke staan en snoof heel diep. 'Ik ruik onze lievelingsgeur...'

'Brand!' zei Piek stralend.

Hun hart begon meteen sneller te kloppen. Poeke en Piek waren dol op brand. Ze vonden het enig om de bewoners in paniek om hun brandende huis heen te zien rennen. Maar nog meer lol hadden ze om een meisje dat eens overstuur in het gras zat.

'IJsbeer...!' huilde ze. 'IJsbeer is nog binnen!'

'Wie is ijsbeer?' vroeg Piek.

'Mijn knuffel...!' huilde het meisje.

'Hoe ziet hij eruit?' vroeg Poeke.

'Wit,' snikte het meisje.'

'Dan heb je straks een zwarte ijsbeer.' En ze renden lachend weg.

'Ik zie nergens rook,' zei Poeke.

'Ik zie ook geen huis,' zei Piek. 'Misschien daar achter die rij bomen.'

Piek snoof. 'We moeten die kant op.' Hun neus leidde hen naar de bomen. Achter de bomen liep een pad en aan het eind van het pad stond een huis. Buiten in het gras lag een houten driewieler en er stond ook een schommel.

'Arme kindertjes,' zei Poeke. 'Die hebben straks geen speelgoed meer.'

'Nee,' zei Piek. 'Dan komen ze thuis en dan is alles verbrand. Hun poppen en knuffels, en hun ouders hebben geen geld voor nieuw speelgoed. Die moeten sparen voor een ander huis en dat duurt heel lang, want een huis is duur.'

'Ja,' zei Poeke 'En zolang ze geen huis hebben moeten ze in dat enge donkere schuurtje wonen dat vol kakkerlakken en spinnen zit.'

'En er woont ook een rat,' grinnikte Piek. 'En die knaagt 's nachts aan hun grote teen. En als-ie helemaal op is, begint hij aan de volgende teen en daarna aan hun vingers.'

'Dan gaan ze gillen van angst en van de pijn, maar hun vader en moeder horen ze jammer genoeg niet, want die moeten ook 's nachts werken.'

'En als de rat eindelijk zijn buik vol heeft,' zei

Piek, 'dan komt er een heel griezelig spook.'

Poeke knikte. 'En dan willen ze vluchten, maar dat gaat niet, want hun tenen zijn opgegeten en zonder tenen kun je niet lopen.'

Gierend van de lach maakten Poeke en Piek het tuinhek open.

De brandlucht werd steeds erger, maar ze zagen nergens vlammen. 'Daar fikt iets,' zei Poeke die voor het kamerraam stond.

Om het vuur beter te kunnen bekijken renden ze om het huis heen. Door het achterraam zagen ze vlammen. 'Het gaat goed.' Poeke sprong in de lucht van opwinding. 'Nog even en het hele huis staat in de fik.' Ze wees naar het keukenraam dat openstond. 'Zullen we die driewieler op het vuur gooien?'

'Ja!' Piek keek de tuin rond of er nog meer houten speelgoed lag.

Poeke had de driewieler al te pakken. Ze duwde het raam verder open, ging in de vensterbank staan en gooide de driewieler naar binnen. Hij kwam net naast het vuur terecht. Ze wilde naar binnen klimmen om hem erop te gooien, maar ineens hoorde ze een auto stoppen en ze sprong gauw naar buiten.

'Het is een vrachtwagen,' zei Piek die om de hoek gluurde. 'Hij heeft vast iets geroken. Als hij het maar niet voor ons komt verpesten.'

Voordat de chauffeur de brand kon zien renden ze naar hem toe.

'Volgens mij staat er hier iets in de fik!' zei de man die zijn neus door het raampje van zijn auto stak.

'Wij komen er net vandaan,' zei Poeke. 'Het is maar een klein brandje.'

'Ik bel toch maar even de brandweer.' En de chauffeur pakte zijn telefoontje, tikte het nummer in en gaf het adres door. 'Ik ga even kijken of er niemand binnen is.' En hij wilde uitstappen.

'Dat hebben wij al gedaan,' zei Piek. 'We hebben alles doorzocht.'

'Mooi, dan kan ik dus weer doorrijden?'

Poeke en Piek knikten.

'Dat komt goed uit, ik heb haast.' En hij reed weg.

Poeke en Piek liepen door, alsof er echt niks aan de hand was. Pas toen de auto helemaal uit het zicht was verdwenen renden ze terug. Ze stonden net bij het keukenraam toen ze sirenes hoorden. Met een razende snelheid kwamen de brandweerauto's de oprit oprijden. Portieren sloegen open en ze hoorden stemmen van brandweermannen.

'Ik hoor nog een auto.' Ze gluurden om het huis heen en zagen een man en een vrouw uit een auto springen.

'Onze baby is boven!' riep de man tegen de brandweermannen die hun slang uitrolden.

'We doen wat we kunnen,' zei een van de brandweermannen.

'Ik loof een beloning uit als jullie hem redden.'

'De hond is ook nog binnen!' riep de vrouw.

Een hond? Poeke en Piek keken elkaar verbaasd aan. Ze hadden helemaal geen hond gezien. Ze renden naar achteren om te kijken of de driewieler al fikte toen ze een hond uit het keukenraam zagen springen. Hij

had een luier in zijn bek waar een baby in lag.

Poeke en Piek dachten meteen aan een beloning en grepen hem bij zijn staart.

'Los!' sisten ze. En ze trokken net zo lang aan zijn staart tot de hond de baby in het gras liet vallen, en jankte.

'Bedankt vlooienbak!'

Nog net voordat de brandweermannen achter het huis verschenen, pakten ze de baby. Hoestend alsof ze regelrecht uit de rook kwamen, liepen ze naar de voorkant van het huis.

'Bartje, mijn kleintje!' De ouders stormden op hen af. De moeder drukte haar baby tegen zich aan. Ze was zo geschrokken dat ze nog geen aandacht voor Poeke en Piek had.

'Niet doen!' riep de vrouw tegen haar man die het huis in wilde gaan om wat spullen te redden.

'De bovenverdieping vat nu ook vlam!' schreeuw-de hij.

Het water dat uit de spuiten van de brandweer spoot, kletterde op de vlammen. Na een tijd kwam een van de brandweermannen naar buiten.

'We hebben het vuur onder controle.'

Eindelijk hadden de ouders van de baby aandacht voor Poeke en Piek.

'Hoe kan ik jullie bedanken...' zei de man. 'Als jul-lie er niet waren geweest...'

'We liepen toevallig langs,' zei Piek. 'En toen zagen we rook. We waren bang dat er nog iemand binnen was.'

'Je weet het maar nooit,' zei Poeke. 'Een lief vogel-tje of zo, dat laat je toch niet verbranden.'

'Een spin laten wij al niet verbranden,' zei Piek.

'We voelden aan de openslaande deuren, maar die zaten op slot. En toen zijn we de weg opgerend om hulp te halen. Maar er was niemand. Eindelijk kwam er een vrachtwagen aan. We wenkten dat hij moest stoppen. Die chauffeur was heel onaardig. Hij wilde niet eens de brandweer voor ons bellen. Maar toen we aandrongen deed hij het toch. Daarna reed hij gewoon door, alsof er niks aan de hand was. Hij keek niet eens of er iemand binnen was. We zijn gauw teruggerend, maar we konden er niet in. En ineens zagen we dat het keukenraam op een kier stond. Toen zijn we erdoor geklommen en naar boven gegaan.'

'Het was heel eng,' zei Piek.

'Een nachtmerrie,' zei Poeke. 'De vlammen waren vlak onder ons. Ineens dachten we aan onze ouders. We mochten alleen maar naar het kamp als we beloofden geen gevaarlijke dingen te doen. En dit was wel gevaarlijk. We hebben nog nooit iets gedaan wat niet mocht, daarom wilden we teruggaan. Maar toen zagen we de dat lieve baby'tje.'

'We twijfelden geen seconde,' zei Piek.

'We konden niet anders,' zei Poeke. 'Zo zijn we nou eenmaal!'

'Het was zo eng!' Ze sloegen hun handen voor hun gezicht en deden net of ze moesten huilen.

'Huil maar,' zei de vader van het baby'tje. 'Jullie zijn heel dapper geweest.'

'Onvoorstelbaar dapper,' zei de vrouw. 'Ik moet er niet aan denken wat er had kunnen gebeuren.'

'Het gaat wel weer.' Poeke en Piek haalden hun zakdoek uit hun zak, veegden hun neptranen af en snoten hun neus.

'Ik wil jullie belonen,' zei de man. 'Is er iets waar ik jullie blij mee kan maken?'

'Een zilveren beker,' zei Piek.

'Met onze namen erin,' zei Poeke.

'Dat komt voor elkaar. Ik laat een prachtige beker voor jullie maken. Hoe lang blijven jullie nog hier?'

'De hele vakantie,' zei Piek. 'We zitten in een zomerkamp.'

De man noteerde hun namen. 'Ik zorg dat de beker volgende week voor jullie klaarstaat. Dan kunnen jullie hem komen halen.'

Piek en Poeke gaven de man en de vrouw een hand. Ze aaiden het baby'tje over zijn bol. 'Dag kleintje.'

De hond liet zijn tanden zien en begon tegen hen te grommen.

'Niet zo lelijk Oscar,' zei de man. 'Deze meisjes hebben niet alleen Barts leven gered, maar ook dat van jou.' Maar Oscar bleef grommen.

'Vreemd,' zei de vrouw. 'Zo doet hij nooit. Hij is juist dol op kinderen.'

'Ik weet wel waar het door komt,' zei Piek gauw. 'Toen we binnenkwamen had hij zich onder het bed verstopt.'

'Hij was zo bang voor de vlammen dat hij er niet onderuit wilde komen,' zei Poeke. 'We moesten hem aan zijn halsband eronder vandaan slepen.'

'Jullie hebben wel heel veel voor ons gedaan,' zei de vrouw. 'Dat mag wel een erg grote beker worden.'

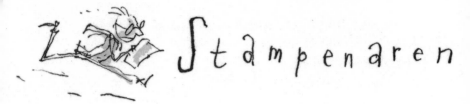

Stampenaren

Overal in het huis van de burgemeester hangen slingers. Op de salontafel staan twee rode rozen met marsepeinen harten ernaast. Om het bed in de slaapkamer, dat verbreed is, zit een grote strik.

De burgemeester, die zichzelf al helemaal ziet zitten in zijn fauteuil met op elke knie een Fladderjurk, hangt met een rood hoofd van opwinding aan de telefoon. Want in plaats van het bericht dat z'n droomprinsessen gevonden zijn, krijgt hij te horen dat de zoekactie wordt gestaakt.

Als verdoofd zit de burgemeester met de hoorn in zijn hand, maar dan springt hij op, stapt in zijn auto en spuit vol gas weg. Met gierende banden scheurt hij de hoek om. Hij is twee keer uit de bocht gevlogen als hij even later voor het gemeentehuis stilhoudt, met op zijn motorkap een zandbak met drie kleuters erin.

'Nog een keer!' roepen de kleintjes als de juf verschrikt aan komt hollen. Maar de burgemeester is al naar binnen. Hij stormt het archief in en smijt de zorgvuldig gesorteerde mappen op de grond.

'Oprapen jullie!' schreeuwt hij tegen zijn ambtenaren.

Bulderend stampt hij elke afdeling door en scheldt iedereen uit. Maar de ambtenaren die achter het loket zitten hebben het nog het zwaarst te verduren.

'Laat ik vandaag niemand langer dan twee minuten zien wachten, want dan zijn jullie ontslagen.'

Hij gaat er zelfs met een stopwatch naast staan om het te controleren.

De ambtenaren rennen van hun bureau naar het loket heen en weer en botsen in de haast keihard tegen elkaar op. Na een kwartier hebben de meesten een dikke bult op hun voorhoofd en sommigen zelfs twee of drie. Ze raken zo uitgeput van het rennen dat de mensen hen door het gehijg amper kunnen verstaan.

'Alstublieft burgemeester,' zegt de hoogste ambtenaar. 'Dit houden wij niet vol.'

'Zeur niet,' snauwt de burgemeester. 'Ik zal de rest van mijn leven met een gebroken hart verder moeten. Dat is pas erg!'

'Maar dat is toch niet onze schuld,' zegt meneer Van Delden.

'Natuurlijk wel,' zegt de burgemeester. 'Heb jij wel eens in de spiegel gekeken? Je ziet er afschuwelijk uit. Maar troost je, je bent niet de enige hier. Jullie hebben allemaal een kop alsof je weken tussen het loket hebt klemgezeten. Die arme Fladderjurken zijn voor jullie gevlucht.'

'Dat kunt u niet menen, meneer de burgemeester,' zegt meneer Van Delden. 'Ik weet dat wij niet knap zijn, maar er is nog nooit iemand voor ons weggerend. Als dat zo was zou het toch niet elke dag zo druk zijn bij de loketten? Geloof mij, het komt door die meester Timo. Door te zeggen dat het verhaal van die jongen was, heeft hij de winnaars beledigd. Ze zijn gekrenkt en durven zich niet meer te vertonen.'

'Denk je nou echt dat die Timo...' De burgemeester denkt na, maar dan schudt hij beslist zijn hoofd. 'Nee, je vergist je.'

'Ik weet het zeker,' zegt meneer Van Delden. 'Die Timo heeft ze weggejaagd. Ik zag hem met ze praten en het zag er heel dreigend uit.'

'Wat?!' roept de burgemeester. 'Hoe durft hij... hoe durft hij mijn Boterkoekjes overstuur te maken. Mijn Bonbonnetjes. Ik moet er iets op verzinnen.'

De burgemeester kijkt geërgerd naar de ambtenaren. 'Wat is dat voor gedraaf? Kunnen jullie niet gewoon lopen? Zo kan ik niet denken. Wat zijn jullie nou? Stampenaren of ambtenaren?'

'Als ze zich niet haasten komt er een rij,' zegt meneer Van Delden.

'Nou en!' schreeuwt de burgemeester. 'Voor een loket hoort een rij te staan. Laat me nadenken. Ik moet dat misselijke onderwijzertje spreken. Van Delden, bel een zwaailicht voor me.'

'Een zwaailicht, meneer?'

'Wat sta je daar nou, je weet toch wel wat ik bedoel. Een... hoe heet het ook alweer? Tatutatu... een sirene.'

'Wat voor sirene bedoelt u meneer? De brandweer, of...'

'Alle sirenes!' brult de burgemeester. 'Die meester Timo zal weten met wie hij te doen heeft. Vlug, schiet op.'

'Nee, ik heb het niet tegen jullie!' schreeuwt de burgemeester tegen de ambtenaren die van schrik weer beginnen te hollen. 'Hebben jullie wel eens gehoord van een ambtenaar met haast? Dat is geen echte ambtenaar.' En hij loopt het gemeentehuis uit.

de strafmaatregel

Met loeiende sirene komt de brandweerauto het schoolplein oprijden. De kinderen, die meteen voor het raam staan, zien hoe de slangen worden uitgerold. Ze zijn nog niet over hun verbazing heen als de ziekenauto eraan komt. Twee verplegers die het slachtoffer moeten opsporen hollen met een brancard langs de ramen van de lokalen.

Nog geen minuut later houdt een politieauto voor de school stil.

De burgemeester, die wordt gevolgd door twee agenten, klimt de auto uit en holt de school in. In de gang horen de kinderen de burgemeester schreeuwen. 'Kom te voorschijn, Schoolbord! Ik vind je toch wel.'

De kinderen kijken elkaar vragend aan. Wie bedoelt de burgemeester nou? Maar de deur van groep drie wordt al opengegooid en de burgemeester grijpt Timo bij zijn kraag.

'Wat staan jullie daar nou?' roept hij tegen de agenten. 'Neem hem gevangen. Ik bedoel, ondervraag hem.'

'Meneer Timo,' zegt een agent. 'Klopt het dat u betrokken bent bij de verdwijning van de prijswinnaressen?'

'Nee,' zegt Timo. 'Dat klopt niet.'

Nu komt de andere agent eraan te pas. 'Kunt u ons zeggen waar u na afloop van de verhalenwedstrijd was?'

'Ik ben samen met meneer Kauwenaar terug naar school gegaan. We moesten nog iets regelen.'

'Kan die meneer Kauwenaar dat bewijzen?'

'Ja zeker,' zegt het hoofd van de school dat net binnenkomt.

'Sorry meneer de burgemeester, dan heeft hij een alibi.'

'Wat nou, alibi!' brult de burgemeester. 'Deze man heeft de prijswinnaressen in het openbaar beledigd. Reken hem in.'

'Nee!' roept Noël. 'U mag de meester niet opsluiten. Hij heeft niemand beledigd. Hij heeft alleen de waarheid verteld. Die Fladderjurken hebben het verhaal van mij gestolen.'

'Lelijke leugenaar!' De burgemeester wil Noël aan zijn oor van zijn stoel sleuren, maar de agenten houden hem tegen.

'Rustig maar, burgemeester. U hoeft alleen maar te bewijzen dat dat jochie liegt en klaar zijn we.'

'Bewijzen? Bewijzen?' roept de burgemeester verontwaardigd uit. 'Dat hoef ik helemaal niet te bewijzen. Iedereen weet dat het kletskoek is.'

'Dus eh... u kunt het niet bewijzen?' vraagt de agent voorzichtig.

'Nee,' zegt de burgemeester.

'Dan kunnen we niks voor u doen,' zegt de agent.

'Maar mijn prijswinnaressen dan?' vraagt de burgemeester. 'Hoe krijg ik die dan terug? Ik had ze allang in mijn armen kunnen sluiten, maar ze zijn spoorloos. En dat is jouw schuld!' roept hij tegen Noël. 'Jij hebt net gedaan alsof jij ook zo'n prachtig verhaal kunt verzinnen.'

'Dat kan hij ook,' zegt Timo. 'Noël heeft hier wel vaker een spannend verhaal verteld.' Timo kijkt zijn klas in en de kinderen knikken trots.

'Hoe durven jullie!' roept de burgemeester. 'Hoe durven jullie te zeggen dat deze jongen net zo'n mooi verhaal kan verzinnen als mijn... mijn Fondantjes. Voor straf worden alle clubhuizen en voetbalvelden gesloten.' Hij wijst naar Noël. 'Pas als

jij mij komt vertellen dat je hebt gelogen, trek ik mijn strafmaatregelen in.' En hij loopt de klas uit.

'Zeg het dan,' dringen de kinderen aan. 'Zeg dan dat het jouw verhaal niet was.'

Maar Noël blijft zitten.

'Stommerd!' roepen er een paar. 'Zo meteen gaat het voetbaltoernooi niet door en dan is het jouw schuld.'

Het begint bij de kinderen in de klas, maar het slechte nieuws verspreidt zich als een lopend vuurtje door de school en door de stad. In plaats van naar het overblijflokaal te gaan, rent Noël tussen de middag naar huis.

'De burgemeester heeft gezegd dat de clubhuizen dicht gaan en de...'

'Dat hoor ik net op de radio,' zegt zijn moeder met een stralend gezicht. 'Dat werd tijd. Dan kan de jeugd tenminste weer eens wat eigen creativiteit ontwikkelen. Ik geef niks om die voorgekauwde cursussen. Jullie moeten zelf tekenen en knutselen. Daar komen de mooiste dingen uit voort. Door al die clubjes zijn jullie dat verleerd.'

'Maar de voetbalvelden gaan ook dicht,' zegt Noël.

'Heeft de burgemeester soms gezegd dat alle ballen worden opgeruimd?' vraagt zijn moeder.

Noël schudt zijn hoofd.

'Nou dan. Let maar op hoe snel jullie een ander balspel hebben bedacht. Over een poosje is er geen voetbalveld meer nodig.'

'Het is hartstikke erg,' zegt Noël half huilend. 'Ze geven allemaal mij de schuld.'

'Maak je daar maar geen zorgen over, jongen,' zegt z'n moeder. 'Het kan één dag duren, of misschien twee, maar dan hebben ze echt wel hun eigen spel ontworpen. Als ze merken hoe fijn dat is, zijn ze je dankbaar, let op mijn woorden. Dan dragen ze je op handen. Zo gaat dat nou eenmaal. Er breekt een heel andere periode aan, jongen. En daar heb jij voor gezorgd. Ik ben heel trots op je en je vader is het ook, dat weet ik zeker.'

Noël haalt zijn schouders op. Zijn moeder kan zoveel zeggen, maar voorlopig heeft iedereen een hekel aan hem. Hij ziet ertegenop om terug naar school te gaan. Maar wat moet hij dan? Hij kan zichzelf toch niet opsluiten tot de burgemeester de maatregelen heeft ingetrokken? Met elke stap die hij dichter bij school komt, wordt hij somberder.

Om de kinderen op te vrolijken heeft juf Aafje haar haren in een staart gedaan. Om de beurt mag er iemand aan het uiteinde draaien.

'In spin, de bocht gaat in...' zingen ze.

Noël verstopt zich in een hoekje van het schoolplein. Ineens zit Twiet op zijn schouder. Noël doet net of hij niks merkt. Hij heeft geen zin om met de vogel te praten. Maar Twiet blijft maar aandacht trekken. Hij geeft een rukje met zijn snavel aan Noëls oor en als dat niet helpt pikt hij zachtjes in Noëls neus. Noël krabt de vogel op zijn kopje. 'Ik weet heus wel wat je wilt, Twiet,' zegt hij. 'Je wilt een verhaal horen, maar ik verzin nooit meer een verhaal. Nooit van mijn leven meer.'

naar het gemeentehuis

De rozen in het huis van de burgemeester zijn verdord; de marsepeinen harten versteend; de versiering hangt slap omlaag; uit de ballonen is zowat alle lucht ontsnapt; en de burgemeester zit op zijn kamer in het gemeentehuis te werken. Het lijkt of alles weer gewoon is, maar dat is niet zo. Zodra de burgemeester het gemeentehuis binnenkomt, draait hij de deur van zijn kamer op slot en wie hem ook wil spreken, hij laat niemand binnen. Zelfs meneer Van Delden niet.

Hoe langer de Fladderjurken onvindbaar zijn, hoe onuitstaanbaarder hij wordt. Als hij op een dag aankondigt dat de zwembaden en de speeltuinen ook worden gesloten, roept de gemeenteraad een spoedvergadering bijeen.

De raadsleden zijn het roerend met elkaar eens dat er snel moet worden ingegrepen voordat de stad leegloopt, want de eerste huizen staan al te koop.

Uit naam van de voltallige gemeenteraad schrijft de wethouder een brief naar de regering, maar er komt geen antwoord. Als meneer Van Delden weken later opbelt, krijgt hij te horen dat hun brief nummer 90681 heeft gekregen en de minister nog 35493 brieven eerst moet behandelen.

Op een ochtend roept meester Timo Noël bij zich.

'Luister Noël,' zegt hij. 'Als we op de minister

moeten wachten zijn alle schommels al verroest, de clubhuizen en zwembaden ingestort en staat het voetbalveld vol onkruid. Jij bent de enige die er iets aan kan doen.'

Noël weet al wat de meester wil vragen. Hij heeft er zelf ook al aan gedacht. Want niemand wil meer met hem spelen. 'Ik ga mijn excuus aan de burgemeester aanbieden,' zegt hij. 'Ik zeg wel dat ik heb gelogen.' Maar meester Timo ziet aan Noël dat hij het niet makkelijk vindt.

'Heel dapper van je Noël. Het is eigenlijk te erg dat je moet liegen, maar ik zie geen andere oplossing meer.' En meester Timo roept alle kinderen en meesters en juffen bij elkaar in de aula. Daar vertelt hij dat de strafmaatregelen misschien vandaag nog worden ingetrokken, omdat Noël zijn excuus aan de burgemeester gaat aanbieden. De kinderen juichen. Ze lopen in optocht naar het schoolplein om Timo en Noël uit te zwaaien. Onder luid gejubel lopen de twee het schoolplein af.

Ze zijn niet in de stemming om vrolijk om te kijken, anders zouden ze wel zien dat juf Aafje hen met haar meters lange staart uitzwaait.

Iedereen die ze op straat tegenkomen ziet dat er iets met Timo en Noël aan de hand is.

'Wat fijn!' roepen ze als Timo vertelt wat ze van plan zijn.

Maar voor Timo en Noël is het helemaal niet zo gemakkelijk. Met tegenzin gaan ze het gemeentehuis in. Als het niet om het toernooi ging, hadden ze het nooit gedaan.

Ze zijn al bijna bij de kamer van de burgemeester

als meneer Van Delden met een rood hoofd van schrik komt aanhollen. 'Het spijt me, maar ik heb opdracht gekregen iedereen bij de burgemeester weg te houden.' Maar als Timo vertelt waarvoor ze komen, klopt hij toch op de deur.

'Meneer de burgemeester, er is bezoek voor u.'

'Laat ze opdonderen!' brult de burgemeester. 'Of je vliegt eruit!'

'U kunt beter weer gaan,' zegt meneer Van Delden geschrokken.

Maar Noël laat zich niet zomaar wegsturen en hij klopt zelf op de deur.

'Ik ben het meneer de burgemeester, Noël,' roept hij. 'Ik kom u iets heel belangrijks vertellen.'

De burgemeester moet onmiddellijk van zijn stoel zijn gesprongen, want nog geen tel later gaat de deur met een zwaai open. 'Kom binnen jochie en jij ook Timo. Ik weet wat jullie me voor belangrijks komen vertellen.' Hij pakt Noël en Timo bij de hand en danst met hen door de kamer. 'O, vertel me gauw... nee, nee toch maar niet. Hou de spanning er nog maar even in. Ik voel me zo gelukkig.' Hij laat limonade en taart komen.

'Nou wil ik het weten,' zegt hij als de taart op is. 'Vertel me, is alles goed met ze?'

'Nee,' zegt Noël. 'Het gaat niet goed met de kinderen in onze stad. Daarom zijn we ook hier.'

'Jij schurkje, je wilt mij nog langer in spanning houden, hè? En jij ook Timo, stout onderwijzertje van me. Ik ben jullie eeuwig dankbaar. Alles is vergeven en vergeten. Zeg op, waar kan ik mijn Lantaarnpaaltjes vinden?'

Noël kijkt de meester aan.

'Aha, ik weet het al,' zegt de burgemeester. 'Jullie hebben ze als paaseitjes in de gemeentetuin verstopt en ik moet ze zoeken.'

De burgemeester wil al naar buiten hollen, maar Timo verspert hem de doorgang.

'Luister burgemeester, wij zijn gekomen om te zeggen dat het ons spijt.'

'Ja, dat weet ik ook wel,' zegt de burgemeester. 'Opzij, ik wil erdoor.'

'Gaat u even rustig zitten.' Timo duwt de burgemeester op de stoel. 'Noël moet u iets zeggen.'

Noël slikt een paar keer en dan komt het hoge woord eruit. 'Ik kom alleen maar zeggen dat ik heb gelogen. Het was mijn verhaal niet.'

'Ik ben net zo schuldig,' zegt Timo. 'Ik had het nooit voor hem moeten opnemen. Duizendmaal excuses. Mogen de voetbalvelden nu weer open?'

'Wat?' roept de burgemeester uit. 'Is dat alles waar jullie voor gekomen zijn? Jullie zeiden dat je me iets belangrijks te melden had. En dan komen jullie vertellen dat het je spijt. Eruit, heilige bonen! Ik wil jullie niet meer zien.'

'Maar de voetbalvelden dan?' vraagt Timo. 'En de clubhuizen? U heeft beloofd dat als Noël zijn excuus zou aanbieden...'

De burgemeester laat hem niet eens uitpraten. 'Hoe durf je daarover te beginnen. Opgehoepeld!' En hij houdt de deur open.

Voor het gemeentehuis staan drommen mensen te wachten. Ze klappen als Noël en Timo naar buiten komen. Steeds meer mensen komen te weten dat Noël zijn excuus heeft aangeboden. De huizen stromen leeg. Meneer Van Delden komt ook aangehold. 'Ik heb net gehoord dat de burgemeester naar de krant heeft gebeld!' roept hij.

'Hoera! Ons toernooi gaat door!'

En ze rennen met z'n allen naar de drukkerij. Zodra de eerste krant van de pers komt, grist de hoogste ambtenaar hem weg. Hij bekijkt de voorpagina en honderden ogen lezen mee. Het staat er met grote letters. Niet dat de clubhuizen en voetbalvelden en zwembaden en speeltuinen weer opengaan.

Er staat geschreven dat er vanaf morgen niemand meer op zijn handen mag lopen. En dat er geen grapjes meer gemaakt mogen worden en er niet meer mag worden gelachen. Ook glimlachen is ten strengste verboden.

En daarna leest Noël iets waar hij nog het ergst van schrikt: meester Timo is ontslagen.

het aanplakbiljet

Bij Poeke en Piek staat toevallig de radio aan als de nieuwe strafmaatregelen van de burgemeester bekend worden gemaakt.

'Harder!' roept Piek. En ze draait de volumeknop verder open. 'Nu is het ook al verboden om te lachen,' zegt Poeke met een stralend gezicht. 'Knap hè, dat komt toch maar mooi door ons. Eigenlijk zijn we al heel beroemd. Boekenkast moest eens weten.'

'Die zit maar te studeren,' zegt Piek. 'Hij denkt dat hij beloond wordt als hij heel veel leert.'

'Wij weten wel beter,' zegt Poeke. 'Pas als je iets heel slims doet, dan word je beloond.'

'Weet je nog wat voor slims wij deden toen we onze mooiste beker hadden bemachtigd. Die gouden?'

'Natuurlijk weet ik dat nog,' zegt Piek. 'Het was mijn plan.'

'Opschepster,' zegt Poeke. 'Ik lach je uit, hoor.'

'Dat moet je vooral doen, dan bel ik de politie. Lachen is verboden,' zegt Piek. 'Ik wil nog wel eens zien hoe slim ik toen was.' En ze schuift de gordijnen dicht en neemt de koperen sleutel van de haak.

Een paar minuten later staat er een prachtige gouden beker op tafel. Piek en Poeke tellen tot drie, steken hun neus erin en knijpen hun ogen dicht.

104

'Als jullie niet willen leren, dan gaan jullie maar werken,' horen ze hun vader weer schreeuwen. Hij had voor straf een baan als verkoopster in een dierenwinkel voor ze geregeld. Want als Piek en Poeke iets haatten waren het dieren.

'Ah!' riep meneer Groen hartelijk toen Poeke en Piek met hun vader de dierenwinkel binnenstapten. 'Daar heb je mijn kersverse assistentes. Jullie boffen, we hebben net een nest witte muizen binnengekregen.'

'Wat lief,' zeiden Poeke en Piek schijnheilig toen ze de muizen zagen. Daarna moesten ze de hamsters bewonderen. Meneer Groen wees naar een hamster die in een molentje rende. 'Dat vinden ze heel fijn. Hamsters houden van rennen.'

'En ik zal jullie ook aan onze papegaai voorstellen. Als hij jullie beter kent, gaat hij tegen je praten.'

De volgende ochtend vulde Piek het drinkbakje van de papegaai niet met water maar met jenever. 'Je wil toch zo graag praten,' zei ze.

De papegaai begon heel rare woorden te roepen. Meneer Groen begreep er niks van. 'Hij is wel erg in de war, nu jullie er zijn,' zei hij met een glimlach.

Toen meneer Groen een ochtendje weg was openden Piek en Poeke

snel de hamsterkooi. 'Jij houdt toch zo van rennen?' Ze zetten een hamster in het molentje en plakten de zijkanten dicht, zodat het beestje de hele tijd moest blijven hollen.

Piek en Poeke hadden een toptien gemaakt van de dieren die ze het meest haatten. De witte muizen stonden bovenaan.

Elke maandag en dinsdag, als meneer Groen naar het magazijn was, pakten ze de kat uit de tuin en stopten hem in het muizenhok. De muizen durfden dan de hele dag niet uit hun huisje.

Voor de klanten waren Piek en Poeke uiterst vriendelijk. Die hadden dan ook niets dan goeds over hen te vertellen. Maar de dieren, die met hun baasje mee de winkel binnengingen, wisten wel beter. Sommige honden lieten hun tanden zien en begonnen tegen hen te grommen. Een klein hondje dat altijd kwispelstaartend naast zijn baasje naar binnen huppelde, bleef met zijn staart tussen zijn poten voor de deur staan. En een grote herder was zo bang voor Piek en Poeke dat zijn baas hem de drempel over moest sleuren.

Niemand begreep wat er aan de hand was. Maar één ding wisten ze zeker: aan die twee lieve verkoopsters kon het niet liggen.

Omdat het zo druk in de dierenwinkel was, konden Piek en Poeke nooit alletwee tegelijk een vrije dag nemen. Daardoor hadden ze al sinds ze werkten geen prijs meer bemachtigd.

Op een dag, toen ze op weg naar huis waren, trok een aanplakbiljet hun aandacht. Alleen al bij het zien van de prachtige gouden beker krulden de puntjes van hun lange neuzen om en schoten de begerige ogen over de tekst die eronder stond. Ze lazen dat de dochter van een rijke fabrikant om een onverklaarbare reden haar stem was verloren. Onderzoeken en operaties hadden niks opgeleverd. Ten einde raad loofde de fabrikant een gouden beker uit voor de arts die haar kon genezen. Piek en Poeke twijfelden geen seconde, die beker hoorde in hun prijzenkast, en ze holden naar huis en stormden de kamer van Wilbert binnen.

De stapel boeken op Wilberts bureau was zo hoog geworden dat ze hun broer niet meer konden zien. Maar doordat ze ergens vanachter de boeken jaartallen hoorden prevelen, wisten ze dat hij er nog was. Ze klommen op een stoel en haalden een paar rijen boeken weg. Na vijf rijen kwamen Wilberts haren te voorschijn. De haren bedekten zijn hoofd dat door al dat studeren in een punt was gegroeid. Toen ze nog meer boeken weghaalden, werd zijn gezicht zichtbaar. Omdat één bril voor zijn oververmoeide ogen niet meer genoeg was, droeg hij er twee over elkaar. Na nog een aantal boeken zagen ze hun broers kleren. Hij was eruit gegroeid, want door al het gestudeer had hij geen tijd gehad om nieuwe te kopen. Zijn overhemd zat zo krap dat er maar één knoopje dicht kon. En op zijn witte buik die eruit stak stonden wiskundeformules geschreven.

'Boekenkast,' zeiden ze, 'we willen dokter worden.'

Wilbert keek hen wazig aan. 'Begrijp ik het goed, willen mijn zussen geneeskunde studeren?'

Toen ze knikten begon hij de geschiedenis van de geneeskunde te spuien. Hij vertelde hoe de patiënten vroeger, in de tijd dat er nog geen narcose was, van

de dokter een klap op hun hoofd kregen voor ze geopereerd werden.

Ze kregen alles over de artsen te horen, die steeds meer konden.

Piek en Poeke begonnen te gapen. Ze vielen al in slaap toen Wilbert nog maar bij de Middeleeuwen was.

Hij ging er helemaal in op en vertelde de hele nacht door, terwijl Piek en Poeke maar sliepen.

Eindelijk, toen de vogels begonnen te fluiten, was hij bij het jaar 2001 gekomen. 'In Amerika is dit jaar een briljante tweeling afgestudeerd,' zei hij.

'Tweeling?' Poeke en Piek schrokken wakker.

'Ja,' zei Wilbert. 'Ze heten Luchtenstein-Barendse. Ze hoeven hun naam maar te noemen en de ziekenhuisdeuren gaan vanzelf open. Het grappige is dat ze worden herkend aan hun lange neuzen.'

'Lange neuzen?' vroegen Piek en Poeke.

Wilbert knikte. 'En zo zag hun cijferlijst eruit.' Hij sloeg een boek open en liet hun een diploma met een briljante cijferlijst zien.

'Mogen wij er ook een?' vroeg Piek. 'Dan hangen we die boven ons bureau als we studeren.'

Wilbert maakte twee kopieën.

'Bedankt Boekenkast!' riepen ze, en met het diploma holden ze zijn kamer uit.

de operatiekamer

Piek en Poeke hadden de foto's van de beroemde tweeling zorgvuldig bestudeerd. Met zwart opgestoken haar, ieder een rond brilletje op hun neus en een geruite cape om liepen ze door de stad.

Toen ze het zebrapad overstaken stopte er een auto vlak voor hun neuzen. 'Daar heb je papa,' zei Piek geschrokken. Ze keken recht in het gezicht van hun vader, maar zelfs meneer Zandstra herkende hen niet.

Aan de overkant van de straat gingen ze een telefooncel in. Ze hielden de hoorn tussen hen in en draaiden het nummer dat op het aanplakbiljet stond.

'Met Bronkhorst!' klonk een zware mannenstem.

'U spreekt met de tweeling Van Luchtenstein-Barendse,' zei Poeke. 'Wij willen uw dochter genezen.'

Even bleef het stil aan de andere kant van de lijn. 'Hoor ik het goed? Spreek ik met de briljante tweeling?'

'Ja,' zei Piek.

'Wat vriendelijk dat u mij nog even persoonlijk belt. Ik heb al van mijn secretaresse vernomen dat u mijn dochter niet kunt genezen. U leidt momenteel een belangrijk congres over... neemt u mij niet kwalijk, maar het thema van het congres is me ontschoten.'

'Eh...' Piek keek Poeke aan.

'Over harttransplantaties,' zei Poeke gauw. 'Maar achteraf vonden wij de genezing van uw dochter belangrijk genoeg om het congres te onderbreken.'

'U weet niet hoe blij ik ben,' zei meneer Bronkhorst die duidelijk ontroerd was. 'Ik stuur meteen een vliegtuig naar Amerika om u op te halen en ik huur de beste piloot in.'

'Doe geen moeite,' zei Piek. 'We zijn vannacht al overgevlogen en komen net van de luchthaven. U begrijpt dat we zo snel mogelijk terug willen zijn.'

'In dat geval reserveer ik onmiddellijk een operatiekamer in het St. Jozefziekenhuis voor u,' antwoordde meneer Bronkhorst. 'Hoe laat kunt u er zijn?'

'Over een halfuur,' zei Piek.

'U weet niet wat dit voor mij betekent. Ik zal het meteen regelen. Dames, heel hartelijk dank. Ik heb er alle vertrouwen in.'

'Hoorde je wat hij zei?' vroeg Piek geschrokken toen de verbinding werd verbroken. 'We moeten die geknakte nachtegaal operéren.'

'Nou en?' zei Poeke 'Hoeveel levende kikkers hebben we vroeger niet ontleed? Dan kunnen we dit toch ook wel? Er zit natuurlijk een of andere prop in dat kind d'r keel. Een sneetje en we hebben die eruit.'

'En als ze doodbloedt?' vroeg Piek.

'Tja, dat zou heel jammer zijn van die prachtige gouden beker.' Ze kregen tranen in hun ogen bij de gedachte dat het pronkstuk aan hun neus voorbij zou gaan.

Een halfuur later stapten ze het ziekenhuis binnen. Ze hoefden zich niet te melden. Zodra de receptioniste de opgestoken haren, de ronde brilletjes en de geruite capes zag, schoot ze achter haar balie vandaan. Ze gaf een gil van opwinding. 'U bent echt gekomen, in levende lijve!'

'Ze zijn er!' Het gonsde door het ziekenhuis. Doktoren en verplegers kwamen van alle kanten aangesneld om de tweeling te bewonderen. Er was zelfs een chirurg bij die z'n operatiemes nog in zijn hand had.

'Hartelijk welkom!' zei de directeur en hij wees

naar een prachtige glimmende Cadillac die net kwam voorrijden. De chauffeur hield het achterportier open en een man stapte uit.

'Kom Charlotte,' zei hij tegen een meisje van een jaar of acht dat verstijft van angst op de achterbank zat.

'Toe nou schat. Dit is de laatste keer dat je geopereerd moet worden. Je voelt er niks van. Alleen even slapen en als je wakker wordt, heb je je stem weer terug.'

Meneer Bronkhorst tilde Charlotte uit de auto en zette haar neer. Terwijl ze naar binnen liepen hield ze haar vaders hand stevig vast.

'Breng haar naar de operatiekamer,' zei meneer Bronkhorst. Charlotte stribbelde tegen, maar twee verplegers hielden haar vast, legden haar op een brancard en reden haar weg.

Meneer Bronkhorst gaf Piek en Poeke een hand. 'Een hele eer om u te ontmoeten.'

'Waar is de beker eigenlijk?' vroeg Piek.

'Oh, eh... die ligt nog achter in de auto. Ik zal hem even halen.'

'Ik hoop niet dat ik u beledig dames,' zei de directeur van het ziekenhuis toen meneer Bronkhorst een prachtige gouden beker uit zijn kofferbak tilde.

'Iedereen weet hoe kundig u bent, maar het is een formaliteit waar ik niet omheen kan. Mag ik uw papieren zien?'

Poeke en Piek haalden de kopieën uit hun tas.

'In orde,' zei de directeur die er een vluchtige blik op wierp. 'Wat ons betreft kunt u beginnen.'

Hij liet twee groene jassen en mutsen komen die ze in de operatiekamer moesten dragen.

'Ik zorg voor genoeg assistentie,' zei hij. 'Zeg maar hoeveel mensen u nodig hebt.'

'Niemand,' zei Piek. 'Wij zijn zo op elkaar ingewerkt, een derde persoon loopt ons alleen maar in de weg.'

Een verpleger ging hen voor naar de operatiekamer.

Charlotte lag al klaar met een lang wit operatiehemd aan en witte sokken. Toen ze Poeke en Piek zag, sprong ze van de operatietafel en rende weg.

Piek greep haar vast. 'Denk erom, je verpest het niet voor ons, krengetje!' En ze bond haar aan de tafel vast.

Poeke hield haar operatiejas voor zich. 'Hoe moet dat vod aan?'

'Waar ben je nou zo bang voor?' vroeg Piek aan het meisje dat klappertandde van angst. 'Voor de dokter?'

Toen het meisje knikte, begon Poeke gemeen te grinniken. 'Stop dan maar met bang zijn, want wij zijn helemaal geen dokters.'

Dit maakte het meisje nog banger.

'Dat mag ze niet weten,' zei Piek. 'Zo meteen gaat ze gillen.'

'Ze kan helemaal niet gillen,' lachte Poeke. 'Haar stem doet het toch niet?'

'We gaan de taken verdelen,' zei Poeke. 'Jij geeft haar een klap op haar kop en als ze bewusteloos is snijd ik haar keel open.'

'Jij houdt altijd het leukste voor jezelf,' zei Piek boos. 'Ik wil die keel ook opensnijden, dat snap je toch wel?'

'Dan doen we ieder de helft. Wat vind je van dit mes?'

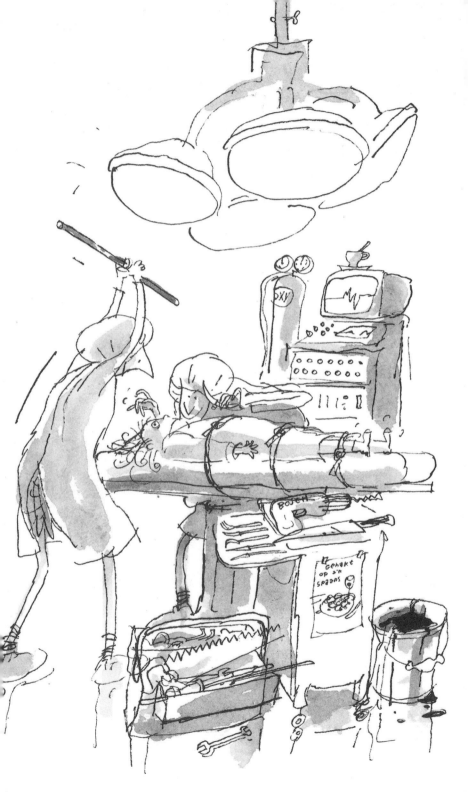

'Veel te groot,' zei Piek. 'Zonde, dan zijn we zo klaar. Je hebt veel meer lol van dit kleine mesje. Dan kunnen we tenminste lekker lang snijden.'

'En dan gebruiken we dit om haar onder narcose te brengen.' Poeke hield een ijzeren staaf omhoog.

'Die is veel te hard,' zei Piek. 'Als ze daar een klap mee op haar kop krijgt, wordt ze nooit meer wakker. Je kunt beter een schoen gebruiken.'

Piek wees naar Poekes voeten. 'Als we een schoen van jou onder haar neus houden, valt ze vanzelf flauw.'

'Die staaf is goed,' zei Poeke. 'Dan moet je iets minder hard slaan. Dat kan je toch wel?'

'Ik zal het proberen,' zei Piek.

'Nou meisje, dan gaan we nu beginnen.'

Poeke pakte het mes en Piek ging met de ijzeren staaf achter Charlotte staan.

'Ik tel tot drie,' zei Piek. 'Een, twee...'

Poeke hield het mes onder de keel van Charlotte. Die deed van angst haar mond open om te gillen. 'Heeelp!' gilde ze.

Van verbazing hield Piek, die net wilde slaan, de staaf vlak boven haar hoofd stil.

'Er klopt iets niet,' zei Poeke.

'Hoorde jij dat ook?' vroeg Piek.

'Papa, help!' riep Charlotte.

Toen drong het pas echt tot Poeke door. 'Haar stem is terug! Nog voordat we iets hebben gedaan.'

Terwijl Piek nog verbaasd met de ijzeren staaf in haar hand stond, pakte Poeke een rol verband en wond die om de nek van Charlotte. Daarna deed ze de deur naar de wachtkamer open.

'We hebben uw dochter genezen.'

Meneer Bronkhorst, die onrustig door de wachtkamer ijsbeerde, stormde naar binnen.

'Papa...' huilde Charlotte. 'Ze hebben me bijna doodgemaakt. Het zijn bedriegsters!'

'Ze is nog een beetje in de war,' zei Poeke. 'Dat komt door de verdoving.'

'Het zijn geen dokters,' riep Charlotte. 'Je moet de politie bellen.'

'Sorry,' zei meneer Bronkhorst. 'Ik hoop niet dat u het haar kwalijk neemt. Rustig maar.' Hij aaide Charlotte over haar hoofd. 'Het komt allemaal goed.'

'Bel de politie!' zei Charlotte. 'Voor ze ontsnappen. Ze hebben me helemaal niet beter gemaakt.'

'Het spijt me heel erg,' zei meneer Bronkhorst tegen de tweeling. 'Morgen beseft ze wel wat u voor haar hebt gedaan. Ik weet zeker dat ze dan een prachtige tekening voor u maakt en die sturen we op, hè Charlotte?'

'En hier in het ziekenhuis richten we een fanclub voor u beiden op,' zei de directeur die het goede nieuws al had gehoord. 'Vindt u het goed als ik de krant bel om het bekend te maken?'

'Wacht alstublieft tot we weg zijn,' zei Poeke. 'We hebben nu geen tijd voor interviews. We moeten zo snel mogelijk terug naar het congres.'

Zo snel als ze konden trokken Poeke en Piek hun

operatiekleren uit.

'Ik begrijp het,' zei de directeur.

Meneer Bronkhorst liet de beker komen. 'Deze is voor u, maar als u liever een geldbedrag hebt?'

'Nee, wij hoeven alleen maar de beker.' Poeke griste hem bijna uit zijn handen.

'Het spijt ons dat we niet langer kunnen blijven.'

'Ik zal een taxi voor u bellen om u naar het vliegveld te brengen,' zei meneer Bronkhorst.

'Heel aardig, maar dat is niet nodig. Onze chauffeur wacht om de hoek.'

'Nou Charlotte, het allerbeste,' zei Piek.

'Dat is lief, hè, dat ze je nog zo aardig groeten, terwijl jij zo lelijk tegen hen hebt gedaan,' zei meneer Bronkhorst tegen Charlotte.

'Gemeneriken!' riep Charlotte. 'Ik vertel het toch tegen de politie.'

De directeur die bang was dat ze nog meer onaardige dingen zou zeggen nam hen gauw mee. Toen ze de lift uitkwamen stond de hal vol dokters en verplegers die Poeke en Piek kwamen uitzwaaien.

Met de beker in hun hand liepen ze naar buiten. Bij de hoek draaiden ze zich nog één keer om en daarna begonnen ze te rennen. Ze doken de dichtstbijzijnde bosjes in, trokken hun pruik van hun hoofd, namen hun brilletje van hun neus en gooiden de capes af. Als Poeke en Piek kwamen ze de bosjes weer uit en ze liepen heel rustig verder, met de beker in hun grote tas.

de meubeltoonzaal

Nog steeds sluit de burgemeester zich overdag op in zijn kamer op het gemeentehuis. En 's nachts loopt hij eenzaam door de stad te dwalen.

Overal in het land komen tweelingen op het idee hem op te vrolijken door de plek van de prijswinnaressen in te nemen. Zij zien zichzelf al in het mooie burgemeestershuis wonen en een luxueus leven leiden.

Het begint met een kleine rij, maar op een dag staat er een kilometers lange file van tweelingen voor het gemeentehuis. En het eind is nog lang niet in zicht. Af en aan komen bussen met tweelingen de stad inrijden. Sommigen komen zelfs uit het buitenland. Doordat de doorgang geblokkeerd wordt, ontstaat er een chaos in de stad.

Daar moet ik iets aan doen, denkt meneer Van Delden als niemand meer op tijd op zijn werk komt. Omdat de burgemeester alleen op graatmagere vrouwen valt, laat hij alle tweelingen wegen. De tweelingen die samen meer dan honderd kilo wegen worden naar het station afgevoerd. Na een tijdje staat het perron vol dikke dames. Meneer Van Delden zet drie treinen in, maar dan nog passen ze er niet allemaal in. Want de meesten zijn zo dik dat ze een dubbele plek innemen. Gelukkig wonen er in de omgeving genoeg mannen die dikke vrouwen juist wel heel aantrekkelijk vinden. Ze weten niet hoe snel ze naar het station moeten komen. Er worden zo veel vrouwen ten huwelijk gevraagd dat meneer Van Delden op het laatst aan één treinstel genoeg heeft.

Voor de tweelingen die samen minder dan honderd kilo wegen heeft hij een ander plan bedacht.

Zodra de burgmeester 's ochtends uit zijn auto stapt, spreekt hij hem aan. 'Meneer de burgemeester, ik maak me zorgen om u. Daarom nodig ik u uit om vanmiddag met mij mee naar een meubeltoonzaal te gaan.'

'Meubeltoonzaal?' vraagt de burgemeester. 'Man, wat moet ik daar? Ik heb helemaal geen meubels nodig.'

'Toch wil ik dat u meegaat,' zegt meneer Van Delden. 'Ik heb de toonzaal helemaal alleen voor u afgehuurd en er iets heel bijzonders mee gedaan.'

De burgemeester doet alsof hij er niet over peinst

om op de uitnodiging in te gaan en stapt zijn kamer in. Maar als meneer Van Delden 's middags komt voorrijden, stapt hij toch in.

'Geldverspilling, Van Delden,' zegt de burgemeester als ze voor het stoplicht staan. 'Een hele toonzaal afhuren speciaal voor mij, wat heeft dat de gemeente wel niet gekost?'

Meneer Van Delden lacht geheimzinnig.

De burgemeester kijkt verbaasd op als ze bij de meubeltoonzaal komen aanrijden. Het grote parkeerterrein staat propvol mensen. Ze beginnen heel hard te klappen als de burgemeester uitstapt. Sommigen proberen mee naar binnen te glippen, maar de portier houdt hen tegen.

'Veel succes!' roepen ze.

'Dat u uw geluk mag vinden!'

Succes? En mijn geluk vinden in een meubeltoonzaal? De burgemeester begrijpt niet wat ze bedoelen.

Zodra hij binnen is gaan de deuren van de toon-

zaal op slot. Terwijl buiten hordes nieuwsgierige mensen met hun neus tegen het glas gedrukt staan, loopt de burgemeester de hal van de toonzaal in.

De eerste verkoper stapt meteen op hem af.

'Ik weet echt niet wat ik hier moet,' zegt de burgemeester.

'O, maakt u zich geen zorgen. De meeste mensen die hier komen weten niet waar ze moeten beginnen. Er is ook zoveel keus.

Is deze bank soms iets voor u?' Hij toont de burgemeester een blauwe bank met een tweeling erop die op hun allerliefst naar hem zitten te lachen. 'Wij horen bij de actie,' zeggen ze. 'Als u deze bank koopt, krijgt u ons erbij.'

Het hart van de burgemeester begint sneller te

kloppen. Zou zijn droom dan toch nog uitkomen?

Hij moet wel zeker weten of ze precies hetzelfde zijn. 'Wilt u alstublieft even gaan staan?' vraagt hij. 'Dan kan ik u bekijken.'

Zodra ze overeindkomen ziet de burgemeester dat de een net iets langer is dan de ander.

'Er is hier genoeg keus,' zegt de verkoper die het teleurgestelde gezicht van de burgemeester ziet. 'Wat dacht u van een romantisch zitje bij de open haard? Ook hier geldt hetzelfde als voor de bank. Deze beeldschone graatjes, eh... ik bedoel dames krijgt u erbij.'

En hij wijst op een open haard waar een totaal andere tweeling staat. Zo op het eerste gezicht lijken

ze gelijk. Ze hebben een rode stip op hun voorhoofd, dat betekent dat ze een extraatje hebben. De burgemeester leest het op het kaartje dat op hun blouse zit gespeld: ze kunnen prachtig zingen.

Nu wordt de burgemeester helemaal enthousiast. 'Kunt u ook opera's zingen?' vraagt hij.

'Ja zeker...' galmt de een met een altstem.

'Dat is onze... specialiteit...' jubelt de ander met een sopraanstem.

'Het spijt me,' zegt de burgemeester nadat hij het verschil in de stemmen heeft gehoord.

De verkoper blijft uiterst vriendelijk. 'U hebt nog lang niet alles gezien. Wat is er mooier in een huis dan een prachtige eethoek?'

De bijbehorende tweeling is mooi en precies gelijk, maar nu is de eethoek het probleem. De burgemeester kan hem niet gebruiken. Hij heeft een eethoek van zijn moeder gekregen en die wil hij voor geen prijs inruilen.

'Kan ik deze tweeling misschien zonder de eethoek krijgen?' vraagt hij.

'Daar durf ik niet over te beslissen.' De verkoper haalt de hoogste baas erbij. Maar die schudt beslist zijn hoofd. 'Dat is helaas niet mogelijk. De spelregels van de actie zijn bij de notaris vastgelegd en daar mag ik niets aan veranderen.'

De burgemeester loopt teleurgesteld verder.

'Wat vindt u van deze ultramoderne keuken vol kookgenot?' vraagt de verkoper. 'En deze dames die erbij horen staan niet voor niks achter deze prachtige kookplaat. Zij hebben als extra kwaliteit dat ze elke avond een heerlijke maaltijd voor u bereiden.'

De burgemeester ziet de ingebouwde koelkast en vraagt zich af wat hij moet beginnen als het apparaat er plotseling mee ophoudt? Omdat hij niet zelf koelkasten kan inbouwen, heeft het geen zin er een tweede van aan te schaffen.

'Nee,' zegt hij. 'Helaas is dit niet wat ik zoek.'

'U hebt groot gelijk,' zegt de verkoper. 'U moet niets tegen uw zin doen, dan krijgt u later spijt en dat is ook niet goed voor de naam van de winkel. Wij willen dat onze klanten tevreden zijn en nog eens bij ons terugkomen.'

Als hij allerlei soorten keukens heeft laten zien, komen ze bij een badkamer.

In een prachtig porseleinen bad ligt onder een

witte laag schuim een tweeling. De burgemeester is razend enthousiast over de badkamer. De bijpassende toilettafel en wc bevallen hem zeer goed. En het toeval wil dat de tegels blauw zijn, zijn lievelingskleur. De gezichten van de tweeling lachen hem ook toe.

'Ik denk dat dit het wel wordt,' zegt hij blij. 'Ik zou alleen de tweeling in z'n geheel willen zien.'

De vrouwen die naakt onder het schuim liggen geven van schrik een gil.

'Ik garandeer u dat ze precies hetzelfde zijn,' zegt de verkoper.

Maar de burgemeester is geen man van risico's.

'Ik kies voor deze badkamer,' zegt hij, 'op voorwaarde dat u hem weer terugneemt als ik thuis toch een verschil tussen de tweeling ontdek.'

De verkoper roept weer de hoogste baas erbij.

'U kunt de badkamer gerust terugbrengen,' zegt de chef, 'maar wij geven geen geld terug. Dat doen wij nooit. Dan krijgt u een tegoedbon van ons.'

'Dat vind ik oplichterij,' zegt de burgemeester, en hij loopt door.

De toonzaal is kolossaal, en heeft wel vijf verdiepingen.

'Denkt u wel aan de tijd,' waarschuwt de chef. 'Om zes uur sluiten wij.'

Haastig loopt de verkoper de roltrap op.

Op de tweede verdieping bezoeken ze verschillende kantoorhoeken en hobbykamers. Ze doen de strandhoek aan, de sporthoek en de tuin. En overal zitten tweelingen, maar telkens mankeert er iets aan en kan de koop niet doorgaan.

'Dan hebben we nog onze welterusten-etage.' De verkoper sleept de burgemeester van de ene slaapkamer naar de andere. Sommige tweelingen liggen in bedden en anderen maken zich op achter toilettafels.

Als de burgemeester op de vijfde verdieping komt en weer overal tweelingen ziet, wordt hij opeens draaierig.

'Voelt u zich wel goed?' vraagt de verkoper.

'Ik weet niet wat ik heb, het is net of ik geen lucht meer krijg.' De burgemeester maakt zijn stropdas los en doet het bovenste knoopje van zijn overhemd open.

De verkoper geeft hem een glaasje water, maar het wordt alleen maar erger. Hij ziet spierwit en het zweet breekt hem uit. 'Ik wil naar huis,' zegt hij.

Meneer Van Delden rijdt de auto voor en belt in

het huis van de burgemeester meteen de dokter.

'Is het ernstig?' vraagt hij als de arts de burgemeester heeft onderzocht.

'Hij wordt wel weer beter.' En de dokter schrijft een recept uit.

De burgemeester moet van de dokter in bed blijven, en hij mag voorlopig geen tweeling meer zien.

De rust en het drankje hebben de burgemeester beter gemaakt, maar hij is nog steeds uit zijn humeur.

'Laat me met rust!' brult hij als meneer Van Delden op zijn deur klopt. 'Je mag me niet storen, alleen als je nieuws hebt van mijn Bezemsteeltjes.'

'Het heeft wel met de prijswinnaressen te maken,' roept meneer Van Delden.

'Wat zeg je daar?' De sleutel wordt meteen omgedraaid. 'Vertel op!'

Meneer Van Delden leest een brief voor waarin staat dat er een landelijke verhalenwedstrijd zal worden gehouden. En dat de stad, die het winnende verhaal instuurt, honderdduizend gulden krijgt. Van het geld moeten nieuwe klimrekken, schommels en glijbanen op de schoolpleinen worden neergezet.

Voor het eerst sinds weken verschijnt er een lach op het gezicht van de burgemeester. Als zijn stad wint, kan hij de honderdduizend gulden gebruiken om een privé-detective in te huren die zijn prijswinnaressen op zal sporen.

'We sturen het verhaal van "De verborgen bliksem" in!' zegt de burgemeester. 'Dat wint zeker.'

'Het moet worden voorgelezen,' zegt meneer Van Delden.

'Geen probleem.' De burgemeester heeft al een oplossing. 'Dan sturen we er gewoon een of ander kind naartoe dat goed kan voorlezen.'

Maar meneer Van Delden wijst hem op de kleine lettertjes. 'Het is verplicht dat de schrijver zelf zijn verhaal voor komt lezen.'

De burgemeester zucht. 'Maar de schrijvers van "De verborgen bliksem" zijn spoorloos...'

We moeten het winnen, denkt de burgemeester die dit als zijn laatste kans ziet de prijswinnaressen terug te vinden. Hij denkt er de hele dag over na, tot hij opeens midden in de nacht de oplossing weet. Snel belt hij de hoofdredacteur van de krant.

'Met Van Raamsdonk,' klinkt het slaperig.

'Met je burgemeester, Van Raamsdonk. Pak pen en papier. Ik heb een bericht voor de ochtendkrant.'

'Maar die wordt zo al gedrukt, burgemeester,' zegt meneer Van Raamsdonk. 'Het is drie uur in de nacht.'

'Als je niet zo zou zeuren, dan had je al op de drukkerij kunnen zijn. Ik wil dat je bekendmaakt dat onze stad meedoet aan de landelijke verhalenwedstrijd en dat ik een beker uitloof voor de juf of meester van de klas met het mooiste verhaal. Het is voor de voorpagina. Maak er maar een leuk stukje van.' En voor meneer Van Raamsdonk nog iets kan zeggen, hangt hij alweer op.

Poeke ziet het meteen als ze 's morgens de krant uit de brievenbus haalt.

'Dit wordt onze laatste beker, dan is de prijzenkast vol.' En ze houdt haar zus de krant voor.

'We zijn geen juffen.' Piek slaat de draad van haar breiwerk om.

Nou én?' zegt Poeke. 'Dat juffendiploma hebben we zo vervalst.'

'Maar we hebben geen klas,' zegt Piek.

'Denk nou eens na,' zegt Poeke. 'Die meester Timo is toch ontslagen? We hoeven alleen maar te solliciteren en dan is die klas van ons. Dat komt juist goed uit, want daar zit dat scharminkel in dat zo goed verhalen kan verzinnen.'

'Weet jij dan nog hoe hij eruitzag?' vraagt Piek. 'Ik niet.'

'Ik weet alleen dat het een naar kotsbakkie was,' zegt Poeke.

'Daar hebben we wat aan,' zegt Piek geërgerd. 'Zo'n klas zit vol kotsbakkies. En ze lijken nog op elkaar ook.'

'Maar hun verhalen niet,' grinnikt Poeke. 'En we hebben altijd onze neus nog.'

 blonde krullen

Aan de lange baard die onder het bureau uitkomt zien Poeke en Piek dat Wilbert thuis is.

Piek klopt tegen de muur van boeken die tot aan het plafond reikt, maar Wilbert is zo ingespannen aan het studeren dat hij het niet hoort. Nadat Poeke het ook een paar keer heeft geprobeerd, bukt ze, steekt haar hoofd door de opening van het bureau en geeft een ruk aan Wilberts baard.

'Au!' roept Wilbert. 'Wie doet dat?'

'Wij zijn het Wilbert, je lieve zusjes. We weten nu eindelijk wat we willen worden. Je bent vast heel verrast als je het hoort. We worden schooljuffrouw.'

'Kijk eens aan, mijn zussen worden lerares in het basisonderwijs. Daar willen jullie natuurlijk alles over weten.' En Wilbert vertelt over alle verschillende schooltypen die er zijn.

Zoals altijd is zijn verhaal langdradig. Piek en Poeke, die zo langzamerhand wel weten dat ze hun aandacht daar toch nooit bij kunnen houden, hebben krulspelden bij zich. Voordat ze van huis gingen hebben ze hun haar nog gauw blond geverfd en daar zetten ze rollers in tijdens het saaie verhaal van hun broer. Dan zal niemand ze herkennen als ze voor de klas staan.

Ze hebben elkaars haar nog maar net ingerold als

het puntje van hun neus begint te gloeien. Dat betekent meestal dat Wilbert iets gaat vertellen wat
belangrijk voor hen is, en ze spitsen hun oren.

'Als leraar of lerares van de basisschool,' zegt
Wilbert plechtig, 'is het van het grootste belang dat
je een heel mooi en regelmatig handschrift hebt.
Daar wordt op de opleiding heel veel aandacht aan
besteed. Tegenwoordig gebruiken we op de basis-
scholen de schrijfmethode van professor...'

'Bedankt Boekenkast!' Poeke en Piek rennen met
hun hoofd vol krulspelden Wilberts kamer uit.

Een paar uur later zitten ze met hoogblond krul-
lend haar over een schrijfschrift gebogen. Piek en
Poeke, die zo slordig schrijven dat ze zelf pijn in hun
ogen krijgen als ze het lezen, oefenen net zolang tot
alle letters keurig binnen de lijntjes staan.

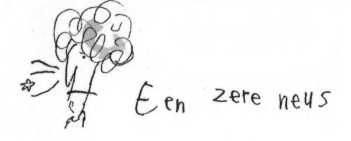

Een zere neus

'Wou je zo naar het gemeentehuis gaan?' vraagt Poeke. 'Dan herkent de burgemeester je toch meteen.'

'En jou niet dan?'

'Mijn neus krijgt-ie niet te zien,' zegt Poeke. 'Ik ben zogenaamd verkouden. Ik ga steeds zitten snuiten en dan zit mijn zakdoek ervoor.'

'Wat moet ik dan?' vraagt Piek.

'Jouw neus moet plat,' zegt Poeke.

'Plat?' vraagt Piek verontwaardigd. 'Moet ik er soms plakband over plakken? Dat ziet hij toch zo?'

'Ik sla hem wel plat voor je.' Poeke pakt een schep.

'Verkouden zijn is veel minder erg,' zegt Piek.

'Dan had jij dat moeten bedenken,' zegt Poeke. 'Nou ben ík het al. Ga staan, ik tel tot drie.'

'Niet te hard, want dan breekt-ie.' Piek knijpt haar ogen dicht.

Poeke haalt de schep naar achteren. 'Een, twee...'

Bij drie bukt Piek, zodat Poeke misslaat. 'Ik durf het niet. Ik maak 'm zelf wel plat.'

Ze gaat achter in de gang staan. 'Is de keukendeur dicht?'

Piek haalt diep adem, telt tot drie en begint te rennen.

Even lijkt het erop dat ze halverwege de gang stilhoudt, maar uiteindelijk rent ze keihard met haar neus tegen de deur aan.

'Au, au, mijn neus!'

'Het is gelukt!' roept Poeke blij. 'Hij is helemaal plat. We moeten gauw gaan!' En voordat Pieks neus weer uitdeukt, hollen ze naar het gemeentehuis.

In het gemeentehuis geeft Piek Poeke een por. 'Je moet je neus snuiten!'

'Kan ik iets voor u doen, dames?' Meneer Van Delden stapt op hen af.

'Wij komen solliciteren,' zegt Poeke. En ze houdt haar zakdoek voor haar neus en snuit. 'Wij willen de klas van meneer Timo overnemen.'

'Ja,' zegt Piek, die tranen in haar ogen heeft van de pijn in haar neus. 'We vinden het zo verdrietig voor die kinderen dat ze geen vaste meester of juf meer hebben. Het kan niet anders of ze raken heel erg achterop.'

'En wie van u beiden wil de klas overnemen?' vraagt meneer Van Delden.

'Ik,' zegt Poeke. 'Maar mijn tweelingzus is zo dol op kinderen dat ze mij gratis wil assisteren.'

'Ik zal vragen of de burgemeester tijd heeft om u te ontvangen,' zegt meneer Van Delden. 'Mag ik uw papieren zien?'

'Natuurlijk.' En Poeke haalt de vervalste diploma's uit haar tas.

'Een ogenblikje.' Meneer Van Delden loopt ermee weg.

'Je neus!' roept Poeke verschrikt uit als meneer Van Delden weg is. 'Hij deukt heel langzaam uit.'

Poeke drukt met haar vinger tegen het puntje van Pieks neus.

Meneer Van Delden gaat de kamer van de burge-

meester binnen, waarvan voor het eerst sinds tijden de deur weer openstaat.

'Meneer de burgemeester, er zijn twee dames die komen solliciteren naar de baan van meester Timo. Eigenlijk is het één dame, maar haar zus wil haar gratis helpen.'

'Gratis?' zegt de burgemeester 'Altijd doen. Laat ze

maar binnen. Om de beurt graag. Begin maar met de oudste.'

'Er is geen oudste, burgemeester.'

'Dan stuur je de jongste, zeurpiet.'

'Neem mij niet kwalijk, maar ze zijn even oud, burgemeester. Het is een tweeling.'

'Sadist!' roept de burgemeester kwaad. 'Wil je me soms ziek maken? Je weet toch dat ik voorlopig geen tweelingen meer mag zien van de dokter. Handel jij het maar af. Als je denkt dat ze goed zijn en ze hebben hun diploma bij zich, dan neem je ze maar aan.'

'Zoals u wilt,' zegt meneer Van Delden.

Poeke haalt haar vinger van Pieks neus.

'En?' vraagt Piek.

'Helemaal uitgedeukt,' zegt Poeke.

'Nee!'

'Ja! Kom hier.'

Poeke wil Piek net een stomp op haar neus geven als meneer Van Delden eraan komt.

Poeke begint heel hard te niezen. 'Misschien is het beter als we een andere keer terugkomen. Ik ben zo verkouden. Ik zou niet willen dat ik de burgemeester aanstak.'

'Daar hoeft u niet bang voor te zijn,' zegt meneer Van Delden. 'De burgemeester heeft mij opdracht gegeven u aan te nemen. Als u even met mij meeloopt dan maken we uw aanstelling rond.' En hij gaat hun voor naar de lift.

Piek is zo opgelucht dat ze de burgemeester niet hoeft te ontmoeten dat ze niet oplet en vlak achter meneer Van Delden gaat staan. Die heeft ook niks in de gaten en zwaait de deur van de lift open. 'Stapt u maar in.' De ijzeren deur komt keihard tegen Pieks neus aan.

'Au!' roept Piek en ze houdt haar hand op haar zere neus die door de klap weer helemaal plat is gedrukt.

Juf Johanna en juf Hendrika

'Als u het niet erg vindt, bereid ik de klas eerst even zelf voor op hun nieuwe juffen,' zegt meneer Kauwenaar.

'Natuurlijk,' zegt Piek. 'Die arme schapen hebben de laatste tijd al zoveel moeten doorstaan.'

'In één klap hun meester kwijt,' zegt Poeke. 'Dat is toch een nachtmerrie voor een kind.'

'Ik ben blij dat u er zoveel begrip voor hebt.' Meneer Kauwenaar gaat naar binnen en trekt de deur achter zich dicht.

'Als ik het hier maar uithoud,' verzucht Piek. 'Het stinkt naar braverikken.'

'Zeur niet,' zegt Poeke die door het raampje de klas in gluurt. 'Dan hou je je neus toch dicht.'

'O ja? Hoe moet ik dan de winnaar ruiken?'

'Je hoeft helemaal niet te ruiken. Je hebt toch ogen? Kijk dan naar dat jochie met die muizentandjes. Je ziet toch zo dat-ie een goed verhaal kan verzinnen.'

'En als hij het niet kan?' vraagt Piek.

'Dan hijsen we hem met gymnastiek aan de ringen omhoog, tot het plafond z'n hersens kriebelt.'

'En dan schreeuw ik dat er brand is,' zegt Piek. 'Dan rennen we met z'n allen de gymzaal uit en dan laten we hem bungelen.'

Poeke wijst naar een jongen die vooraan zit. 'Als het dat Muizentandje niet is, dan is die Aardappelneus de winnaar. Dus we hebben al twee kansen.'

'En eh... als het verhaal van dat Aardappelneussie nou ook niks voorstelt?'

'Dan mag hij met schoolzwemmen met ons van de glijbaan. En dan gaan we vlak achter hem zitten, zodat we boven op hem in het water ploffen en dan duwen we hem lekker lang onder.'

Poeke en Piek willen de winnaar zo graag ontdekken dat ze het niet meer uithouden.

'Schiet eens op, Kauwenaar,' zegt Poeke.

'Nee hè,' zucht Piek. 'Ze mogen nog vragen stellen ook.'

'Dat mag bij ons ook,' zegt Poeke. 'Luister goed, rotkinderen. Wie er iets te vragen heeft mag zijn vinger opsteken.'

'Zo is dat,' zegt Piek. 'En dan bijten wij hem eraf.'

'Waarom roept hij dat kind nou naar voren?' vraagt Poeke.

Maar dan horen ze de klas 'Lang zal ze leven' zingen. 'Het komt goed uit dat je jarig bent,' fluistert Poeke. 'Wij hebben nog wel een verrassinkje voor je. Wedden dat-ie niet op je verlanglijstje stond? Van ons mag je een verhaal verzinnen. Is dat niet leuk op je verjaardag? Maar we moeten er wel een prijs mee winnen.'

'Ja,' zegt Piek. 'En als je verhaal niet wint, maken we je jurk nog feestelijker.'

140

'Dan knip ik er een stuk uit,' zegt Poeke.

'Nee,' zegt Piek. 'Ik. Ik heb het bedacht.'

'Dat wordt niks,' zegt Poeke.

'Hoezo niet?' vraagt Piek.

'Als jij een schaar in je handen hebt, knip je die hele jurk aan flarden,' zegt Poeke. 'Jij kunt je niet beheersen.'

'Je zult jezelf bedoelen,' zegt Piek kwaad. 'Weet je nog dat jij vroeger één barstje in het lievelingskopje van oma zou maken? Toen heb je het hele servies kapotgegooid.'

'Als we zo beginnen, weet ik er ook nog wel een paar. Drie veren zou je uit de prijskip van oom Willem trekken. Maar je hebt dat beest helemaal kaalgeplukt. En weet je nog dat je de kat van de buren...'

'Nou moet je ophouden,' zegt Piek.

'Ja ja,' zegt Poeke. 'Je wilt het niet horen hè? En ik ben nog lang niet klaar hoor. Eén pootje zou je uit die spin trekken...'

'Ik zei dat je je kop moest houden!' Piek geeft Poeke een klap.

Poeke grijpt Piek bij haar haren en trekt er een pluk uit. Ze schrikt als de deur van de klas opengaat en laat de pluk haar gauw los.

Meneer Kauwenaar kijkt ontzet naar de haren die door de gang dwarrelen.

'Wat een kracht heeft zo'n kind, hè?' zegt Poeke.

Piek kijkt meneer Kauwenaar aan. 'Er kwam een jongen langs en die vroeg of hij een haar van mij mocht hebben voor zijn werkstuk. Maar hij trok per ongeluk een hele pluk uit mijn hoofd.'

'Wat vertelt u me nou?' vraagt meneer Kauwenaar

geschrokken. 'Dit is niet te geloven. Hoe zag hij eruit?'

'Een heel schattig jochie,' zegt Piek. 'Maar dat zijn ze allemaal. Dat arme kind is zich doodgeschrokken. Hij was weg voor we er erg in hadden.'

'Ik ga dit onmiddellijk uitzoeken,' zegt meneer Kauwenaar. 'Duizend excuses.'

'Als u hem maar geen straf geeft,' zegt Piek. 'Dat zou ik absoluut niet willen. Zo'n kind kent zijn eigen kracht niet. Dat heb je op die leeftijd.'

Meneer Kauwenaar gaat met Poeke en Piek de klas in. 'Ik heb het idee dat jullie wel heel erg boffen met deze juffen.'

'Dag kinderen.' Poeke en Piek kijken de klas met hun liefste glimlach aan.

'Ik ben Hendrika,' zegt Poeke met een zoet stemmetje. 'En dit is mijn zus Johanna.'

'Oh, Hendrika, hebben wij even geluk.' Juf Johanna wijst naar Brenda die een strik om heeft. 'We hebben een jarige in de klas. Hoe oud ben jij geworden?'

'Zeven,' zegt Brenda stralend.

'Hartelijk gefeliciteerd, lief kind.' En juf Hendrika geeft Brenda een hand. 'Wat een schitterende jurk heb je aan.'

'Daar ben je zeker heel trots op,' zegt juf Johanna.

Noël kijkt naar de juffen. Hij vraagt zich af waar hij die lange spitse neuzen eerder heeft gezien. En ineens weet hij het. De Fladderjurken hadden ook zulke neuzen. Maar die zijn lang niet zo lief als deze twee juffen, denkt Noël. Juf Johanna is niet eens boos dat iemand aan haar haar heeft getrokken. Dat zou je bij de Fladderjurken niet moeten proberen. Terwijl zij wel zijn verhaal hadden gestolen! Hij wordt weer kwaad als hij eraan denkt.

'Ik weet zeker dat we een heerlijke tijd met elkaar tegemoetgaan,' zegt juf Hendrika.

'Dit wordt een onvergetelijk jaar,' zegt juf Johanna. 'Dat voorspel ik jullie.'

'We gaan vieren dat wij nu jullie juffen zijn,' zegt juf Hendrika als meneer Kauwenaar weg is. 'De rekenboeken en de taalschriften blijven de hele ochtend in de laatjes. Jullie mogen een verhaal schrijven.'

'Jullie moeten er heel erg je best op doen,' zegt juf Johanna als ze de blaadjes uitdeelt. 'Als jullie verhalen mooi genoeg zijn, dan bundelen we ze en dan brengen we ze naar het kinderziekenhuis. De kinderen die daar liggen zijn heel erg ziek. Sommigen moeten daar wel een jaar blijven. Denken jullie je dat eens in. Een heel jaar in het ziekenhuis, elke dag opnieuw, zonder je ouders. Maar als ze jullie prachtige verhalen lezen, worden ze vast sneller beter.'

'Ik ga een heel mooi verhaal schrijven,' zegt Sara.

'Ik ook,' zeggen een paar anderen.

Iedereen is druk aan het verzinnen, behalve Noël. Hij vindt het wel heel lief bedacht van zijn juffen, maar hij heeft zichzelf gezworen nooit meer een verhaal te verzinnen. Hij voelt zich wel schuldig, omdat het voor de zieke kinderen is. Hij wil heus wel dat ze gauw beter worden. Gelukkig bedenkt hij iets. Als hij thuiskomt, zal hij zijn lievelingsboek inpakken en het naar het ziekenhuis brengen. Dat is zo'n prachtig boek, als de zieke kinderen dat lezen knappen ze vanzelf op.

'Kijk jij maar wat Muizentandje ervan terechtbrengt,' zegt Poeke. 'Dan hou ik Aardappelneus in de gaten.'

De kinderen zijn al een tijdje aan het werk als Poeke en Piek over de schouders van de twee jongens meelezen. Na een paar minuten weten ze genoeg.

'En?' vraagt Piek.

'Een heel langdradig verhaal,' verzucht Poeke.

'Dat verhaal van Muizentandje wordt ook niks,' zegt Piek zachtjes.

'Dan zullen we toch onze neus moeten gebruiken,' zegt Poeke, en ze loopt langs de rijen. Bij elke jongen blijft ze staan snuiven. Ze weet zeker dat ze de winnaar er zo tussenuit haalt. Ze herinnert zich nog precies hoe de jongen in het park rook toen hij zijn verhaal vertelde.

Sommige meisjes schuiven hun verhaal expres naar de rand van de tafel zodat hun nieuwe juf er alvast een stukje van kan lezen. Maar juf Hendrika is helemaal niet geïnteresseerd in de verhalen van de meisjes.

'Ik ruik hem niet,' zegt Poeke.

'Laat mij maar,' zegt Piek, maar ook zij ruikt de winnaar niet.

'Juf, ons verhaal is af,' zeggen een paar meisjes.

'Dat kan niet,' snauwt juf Hendrika die het niet kan uitstaan dat ze de winnaar nog niet hebben gevonden. 'Meisjes kunnen helemaal geen verhaal

schrijven. Dus dan kan het ook niet af zijn.'

'We hadden die meisjes nooit moeten laten meedoen,' fluistert Piek. 'Die zoetsappige verhalen brengen onze neus alleen maar van de wijs.'

'Dat is het!' Poeke klaart meteen op. 'Daarom ruiken we de winnaar niet. Die meisjesverhalen moeten
weg!'

Juf Johanna klapt in haar handen. 'Alle meisjes leggen hun pen neer.'

'Wij mogen ons verhaal lekker eerst laten horen,' fluisteren de meisjes trots.

'Waar wachten jullie nog op?' vraagt juf Johanna als de meisjes met hun verhaal in hun hand klaar zitten. 'Verscheur je verhaal maar.'

'Verscheuren? Moeten we ons verhaal verscheuren?' Dat moet een vergissing zijn.

'Wat kijken jullie nou onnozel,' zegt juf Johanna. 'Je hoort ons toch wel. Verscheuren, zeg ik.'

'Maar het is toch voor de zieke kinderen?' vraagt Margo.

'Wat denken jullie nou, dat we dat mierzoete misselijkmakende gezemel van jullie aan die arme kindertjes laten lezen? Jullie willen zeker dat ze nog zieker worden, hè? Maar daar doen wij niet aan mee. In de prullenmand met die rommel!'

Noël kijkt de juffen geschrokken aan. Die stemmen herkent hij. Die klinken net zo gemeen als de stemmen van de Fladderjurken toen ze er met zijn verhaal vandoor gingen. Maar die Fladderjurken kunnen toch nooit juf zijn geworden?

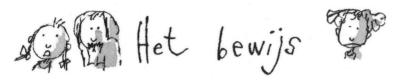# Het bewijs

Noël schrikt op van juf Hendrika die een klap met de liniaal op het bord geeft. 'Alle jongens komen voor de klas staan met hun verhaal in hun hand.'

'Waarom heb jij niks?' vraagt juf Johanna als ze Noëls lege vel papier ziet.

'Ik kan nooit iets verzinnen,' zegt Noël.

'Geen fantasie dus, net als de meisjes,' zegt juf Johanna. 'Pak je spullen maar en ga aan de meisjestafel zitten.'

Poeke en Piek gaan achter elkaar aan het begin van de rij staan. 'Wij tellen tot drie en dan beginnen jullie allemaal tegelijk te lezen. Eén, twee, drie...' En terwijl ze heel diep snuiven lopen ze langs de rij.

'Ik ruik niks,' fluistert Piek als ze de hele rij heeft geroken. 'Er zit helemaal geen winnaar in deze klas.'

'We zitten fout,' fluistert Poeke. 'Daar gaat onze beker...'

De gedachte dat hun prijzenkast binnenkort helemaal nog niet vol zal zijn, maakt hen razend.

'Zitten! Staan...' schreeuwen de twee juffen door elkaar. 'Wat zeg ik nou?' vraagt juf Hendrika.

'Zitten!' zegt een jongen.

'Nee, staan!' schreeuwt Johanna.

'Luister.' Piek trekt haar zus mee naar een hoek van de klas. 'Hij moet in deze klas zitten.'

'Missen jullie soms iemand?' vragen ze aan de kinderen.

Maar de kinderen schudden hun hoofd. Er ontbreekt niemand.

'Dat kan niet,' fluistert Poeke. 'Er klopt iets niet. Laat me nadenken.'

'Ik weet het,' zegt Piek ineens. 'Misschien was het wel helemaal geen jongen die wij hebben gezien.'

Poeke krijgt meteen weer hoop. 'Heel slim van je. Ik kan wel merken dat je veel van mij geleerd hebt. Dat is het. Het moet een meisje zijn geweest dat op een jongen leek.'

'Luister goed,' zegt ze tegen de klas. 'We hebben de verhalen van de jongens gehoord en nu zijn de meisjes aan de beurt. Kom maar naar voren.'

'We kunnen ons verhaal niet voorlezen, juf,' zegt Naomi. 'We hebben het net verscheurd.'

'Verscheurd?' roept juf Johanna kwaad. 'Wie verscheurt er nou een verhaal? Jullie zijn toch geen peuters die alles kapotmaken? Plassen jullie soms ook nog in je broek? Nou?' Ze gaat naast Liselot staan die vooraan zit en draait haar oorlelletje om. 'Waarom heb jij je verhaal verscheurd?'

Liselot krijgt tranen in haar ogen. 'Omdat... omdat u het zei.'

'En jij? En jij?' Juf Johanna en juf Hendrika gaan alle tafels langs, maar de meisjes geven allemaal hetzelfde antwoord.

'En dat moeten wij geloven?' vraagt juf Hendrika.

'Het is echt waar,' houden de kinderen vol.

'Daar geloof ik niets van,' zegt juf Johanna. 'Als wij zeggen dat jullie uit het raam moeten springen doen jullie dat dan ook?'

'Nee juf!'

'Waarom hebben jullie dan wel je verhalen verscheurd? Nou? Ik weet het wel,' zegt ze als ze geen antwoord krijgt. 'Jullie hebben maar wat zitten knoeien. Daarom hebben jullie ze verscheurd.'

'Niet!' zegt Brenda. 'Mijn verhaal was juist heel mooi.'

'Dat wil ik dan wel eens horen,' zegt juf Hendrika. 'Vertel je verhaal maar uit je hoofd.'

'Het ging over een vlinder.' Brenda wijst naar haar jurk. 'Over deze vlinder.'

'Wat nou, over een vlinder. Dat is toch geen verhaal. Wat gebeurde er met die vlinder?'

'Eh... eh... Hij leefde maar een dag,' zegt Brenda.

'Erg interessant,' zegt juf Johanna. 'Wij willen een verhaal horen. Je zei dat je je verhaal had verscheurd, maar wat je nu vertelt is helemaal geen verhaal. Dat is alleen maar gezeur. Schiet op.'

Als het stil blijft, haalt ze een schaar uit haar tas.
'Je kunt je niet meer herinneren hoe je verhaal ging,
hè? Goed, knip de vlinder dan maar uit je jurk.
Misschien dat je het dan weer weet.'

De monden van de kinderen vallen open van
schrik. Brenda kijkt met een rood hoofd naar de
schaar.

'Nou?' zegt juf Hendrika. 'Komt er nog wat van?'

Nu begint Brenda te huilen. 'Ik wil mijn vlinder
niet uitknippen. Het is mijn nieuwe jurk. Ik heb hem
vandaag voor mijn verjaardag gekregen.'

'Vertel je verhaal dan, kind!' brult juf Johanna.

'Ik weet het niet meer...' huilt Brenda.

'Hou maar op,' zegt juf Johanna. 'We weten al genoeg.' Op het moment dat ze de schaar opbergt gaat er een zucht van verlichting door de klas.

Nu wijst Hendrika's lange vinger naar Simone. 'Jij! Ik wil jouw verhaal horen.'

'Het ging over een konijn,' zegt Simone. 'Een konijn dat verdwaald was...'

'Is dat alles?' vraagt juf Johanna.

'Eh... en toen...'

'Wat nou, en toen? Je weet toch wel wat je zelf bedacht hebt?'

'Ik weet alleen nog dat hij heel bang was,' zegt Simone.

'Ik zal je een handje helpen.' Juf Hendrika zet de konijnenren open. 'Haal dat beest er maar uit.'

Als Simone Stipje in haar handen houdt wijst juf Hendrika naar de waslijn die dwars door de klas loopt met tekeningen eraan. 'Als je niet gauw vertelt hoe je verhaal verdergaat, mag je dat ongedierte ertussen hangen.' En ze geeft Simone twee knijpers.

'Dat is gemeen!' roepen de kinderen verontwaardigd. Een jongen begint te huilen.

'Dan moeten jullie niet bij ons zijn,' zegt juf Hendrika, 'maar bij haar. Schiet op met dat verhaal, of wil je dat konijn liever aan zijn oren aan de waslijn hangen?'

'Vlug, vertel dan...' roepen de kinderen. Maar van de zenuwen weet Simone het niet meer.

Juf Hendrika pakt Stipje bij zijn nekvel, rukt hem

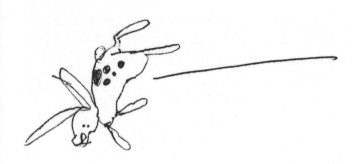

uit Simones handen en zet hem ruw terug in het hok.

'Driemaal is scheepsrecht,' zegt juf Johanna, en ze roept Margo voor de klas. 'Vertel je verhaal maar, wij zijn een en al oor.'

'Het ging over brand,' zegt Margo. 'De school vloog in brand en toen moest iedereen vluchten.'

'Nou en?' zegt juf Johanna. 'Je gaat me toch niet vertellen dat dat alles is wat je hebt bedacht?'

'En toen... eh... eh...'

'Ben jij het soms ook vergeten? Ik zal je geheugen even opfrissen.' Juf Johanna geeft Margo een doosje lucifers. 'Als je het niet weet, moet je de school maar in de fik steken, dan zie je vanzelf wat er gebeurt.'

De kinderen kijken met krijtwitte gezichten naar Margo die van schrik het doosje lucifers laat vallen.

'Nee, dat wil ik niet... ik wil niet dat onze school afbrandt.'

'O nee?' vraagt juf Johanna. 'Waarom krijgen we dan niks te horen?'

'Ik weet het niet meer,' zegt Margo. 'Ik weet niet meer hoe het verderging...'

'Het bewijs is geleverd!' brult juf Hendrika. 'Jullie hebben je verhaal helemaal niet hebben verscheurd omdat wij het zeiden, maar omdat jullie je doodschaamden voor die prutsverhalen.'

'Nietes,' zeggen de meisjes. 'Onze verhalen waren heel mooi. We weten ze alleen niet uit ons hoofd.'

'O ja, waren ze echt zo mooi? Zo mooi dat je er een prijs mee kunt winnen?'

'Misschien wel,' zeggen ze.

'Dat zou niet gek zijn.' Juf Hendrika keert de prullenbak midden in de klas om. 'Vissen jullie de snippers van je verhaal er maar tussenuit en plak ze maar weer aan elkaar. Dan krijgen we eindelijk een mooi verhaal te horen.'

Noël ziet de begerige blik in de ogen van de juffen. Ze zijn het, denkt hij geschrokken. Nu weet hij het zeker. Het zijn de Fladderjurken.

De rest van de dag zitten de meisjes puffend over de berg snippers gebogen.

'Ik hoef nog maar één stukje,' zegt Naomi zuchtend.

Haar ogen zijn zo moe dat ze haar eigen hand-

schrift bijna niet meer herkent.

De meesten hebben nog niet eens de helft van hun verhaal bij elkaar gevonden.

'Kan het niet wat sneller?' vraagt juf Hendrika.

'Ja,' snauwt juf Johanna. 'Om ze te verscheuren hadden jullie niet zoveel tijd nodig, toen deden jullie niet zo zielig.' Ze kijkt op haar horloge. Eigenlijk hadden ze deze middag de winnaar al willen ontdekken, maar dat lukt nu niet meer. Met chagrijnige gezichten ijsberen de juffen door de klas. Maar als de deur van de klas opengaat en meneer Kauwenaar zijn hoofd naar binnen steekt, stralen ze plotseling weer van vriendelijkheid.

'Wat gebeurt hier voor leuks?' Meneer Kauwenaar kijkt verrast naar de berg snippers.

'Een van de modernste vormen van taalonderwijs,' zegt juf Hendrika trots. 'Dit is nou wat je noemt spelenderwijs leren. Wij hebben een mand snippers omgekeerd met woorden en zinnen erop waar de kinderen een verhaal van mogen maken. Zo ontstaan er allemaal verschillende verhalen. Vindt u het niet enig?'

'Een heel origineel idee,' zegt meneer Kauwenaar. 'En zo creatief! Ik zal jullie niet langer ophouden.' En hij gaat met een tevreden gezicht de klas uit.

Zie je wel, denkt Noël. Ik heb ze heus wel door!

'U zei dat wij niet mochten jokken,' zegt Lucie. 'Maar nu deed u het zelf ook.'

'Ik ga het mooi wel aan mijn moeder vertellen hoor, dat ik mijn verhaal moest verscheuren,' zegt Roosmarijn die nog maar een kwart van haar verhaal bij elkaar heeft gebracht.

'Aan mijn vader ook,' vallen haar vriendinnen haar bij.

'Daar hebben wij niets op tegen.' Juf Hendrika stoot haar zus grinnikend aan. 'Wij lusten wel een lekker konijnenboutje, toch?' En ze wijst op Stipje die ineengedoken in een hoekje van de ren zit. 'Als jullie ook maar iets thuis vertellen, wordt dit arme beestje gebraden.'

Van schrik geven de kinderen een gil. Annabel, die Stipje thuis met de fles heeft grootgebracht, begint te huilen. Nu kan de rest het ook niet meer houden.

'Stop met dat gejank!' schreeuwt juf Hendrika. 'Jullie moeten gewoon je kop dichthouden, dan overkomt dat stomme beest niks.'

Juf Johanna gaat voor de ren staan. 'Ja Stipje, nou kunnen we eens zien hoeveel ze van je houden.'

Als de bel gaat en de kinderen de klas verlaten, zit de schrik er nog steeds flink in.

'Ik weet er al iets op,' zegt Ilias als ze bij de kapstok staan.

'Wat dan?'

'Buiten, bij het fietsenhok.' En hij pakt zijn jas.

Bij het fietsenhok kijkt hij eerst om zich heen of hij niet wordt afgeluisterd.

'We gaan Stipje ontvoeren,' zei hij. 'Wie wil er meedoen?'

'Ik...! Ik...! Ikke...!' Ook Noël steekt zijn vinger op, maar doordat hij heel zachtjes 'ik' zegt, hoort Ilias hem niet.

Ze wachten op het schoolplein tot juf Hendrika en juf Johanna de school uitkomen. Meneer Kauwenaar is heel blij met de nieuwe leerkrachten, hij zwaait hen zelfs uit. Pas als ze de hoek om zijn glippen Ilias en zijn vrienden de school in. Noël blijft vol spanning wachten. Stipje mag geen dag langer bij hen in de klas blijven. Hij weet als geen ander hoe gemeen die juffen zijn.

'En, heb je Stipje?' Zodra het groepje de school uitkomt, rent hij op hen af.

'Het is niet gelukt,' zegt Ilias.

'Kwam Kauwenaar binnen?' vraagt Tom.

Ilias schudt zijn hoofd.

'Is-ie ontsnapt?' vraagt Noël.

'Ook niet.' Ilias geeft een trap tegen het hek. 'Er zit een slot op de ren.'

Oefenen

Het slot dat aan de ren hangt, is zo groot dat het meneer Kauwenaar meteen opvalt als hij de klas inkomt.

'Dat hebben wij expres gedaan.' Juf Hendrika kijkt haar zus aan. 'Vertel jij het maar.'

'Op onze vorige school hadden we ook zo'n lief dier in de klas,' zegt Johanna. 'Een python.'

'Een python?' roept meneer Kauwenaar verschrikt uit.

'We hadden hem zelf uit de tropen meegenomen. Hij was zo'n lieverdje. Onder de les hing hij vaak om onze nek.'

'Maar dat is toch levensgevaarlijk?' zegt meneer Kauwenaar.

'Dat denkt iedereen,' zegt juf Johanna. 'Maar onze python was een schat. Hij deed niemand kwaad. We waren zo aan hem gehecht. Daarom was het zo'n schok toen hij ineens verdwenen was. Het moet 's nachts gebeurd zijn.'

'Wij weten wie hem heeft gestolen,' zegt Hendrika.

'Het was een dame van het schoolbestuur. Ze had

een sleutel van de school. En een week nadat onze dot weg was, zagen we haar lopen met een tas van pythonleer.'

'We moeten er niet aan denken dat dit schattige konijntje op een dag een bontmuts wordt, of een paar pantoffels. We hebben dan ook meteen een slot op de ren gezet. Een heel kostbaar slot, dat niemand zomaar open krijgt.'

Meneer Kauwenaar is duidelijk onder de indruk. 'Ik waardeer het heel erg dat u met zoveel liefde en zorg met dieren omgaat. Hoewel zoiets gruwelijks op deze school niet zal gebeuren, dat kan ik u garanderen. Maar ik snap uw voorzichtigheid. En ik weet zeker dat de kinderen het ook begrijpen.'

Maar de kinderen begrijpen meer dan meneer Kauwenaar weet. Ze liegen! willen ze roepen. Ze houden helemaal niet van dieren. Maar uit angst dat de juffen Stipje iets aandoen, houden ze hun mond.

'En dan is het nu tijd voor de verhalen van de meisjes,' zegt juf Hendrika als meneer Kauwenaar weg is. 'Hebben jullie allemaal je verhaal aan elkaar geplakt?'

De meisjes knikken.

'Ik ben benieuwd,' zegt juf Johanna.

'Heel benieuwd,' zegt juf Hendrika hebberig.

De meisjes moeten net als de jongens voor de klas komen staan en allemaal tegelijk hun verhaal hardop voorlezen. Juf Johanna en juf Hendrika weten zeker dat ze nu de winnaar zullen ruiken. Overmoedig lopen ze langs de rij.

Als ze alle meisjes van de rij hebben geroken draait Piek zich naar haar zus om. 'Ik ruik niks,' sist ze.

'Ik ook niet,' fluistert Poeke.

Ze lopen rood aan van woede.

'Koppen dicht!' schreeuwen ze. 'Hou alsjeblieft op met die saaie flutverhalen.'

'Jullie weten niet eens hoe je een verhaal moet schrijven,' zegt juf Hendrika als iedereen op z'n plaats zit. 'We gaan het nog eens proberen, maar dan echt.'

Ze legt op elke tafel een vel papier.

'Als je een verhaal schrijft, dan woon je in dat verhaal. Dan ga je er helemaal in op, net zolang tot het af is. Je hoort en ziet niemand. En je voelt ook niets. Niet dat je honger hebt, niet dat je slaap hebt. Je voelt alleen hoe je verhaal verder moet. En zó verder moet, dat je er een prijs mee kunt winnen, begrepen?'

De kinderen knikken en beginnen snel van alles te verzinnen.

Juf Hendrika gaat naast Noël staan en trommelt met haar vingers op zijn tafel. Maar Noël kijkt niet op.

Nu loopt juf Johanna naar voren, pakt een liniaal en geeft een keiharde klap op het bord.

Geschrokken kijken een paar kinderen op.

'Jullie zijn snel klaar,' zegt juf Hendrika. 'Lever je verhaal maar in. Ik ben heel benieuwd.'

'Het is nog niet af,' zegt Sara.

'Waarom keken jullie dan op?' vraagt juf Hendrika verbaasd.

'Omdat we van die klap schrokken,' zegt Lucie.

'Onmogelijk,' zegt juf Hendrika. 'Als je een verhaal schrijft hoor je niks. Een echte schrijver heeft niets in de gaten, die werkt gewoon door. Al breken ze het hele huis om hem heen af. Ga maar achter in de klas staan op je linkerbeen. Pas als je weet hoe je een verhaal moet schrijven mag je weer gaan zitten. En denk erom dat je rechterbeen tot die tijd niet de grond raakt, want dan eten wij vanavond gebraden konijn.'

Uit angst dat ze ook achter in de klas moeten staan, schrijven de anderen door.

Terwijl juf Hendrika op de kinderen achter in de klas let, houdt juf Johanna de rest in de gaten.

Noël ziet door de spleetjes van zijn ogen Juf Johanna door het raampje van de deur gluren.

'Brand...' gilt ze. 'Brand! De school staat in de fik!'

De helft van de klas springt op.

'Wat heeft dit te beteken?' vraagt juf Johanna.

'U riep dat er brand was,' zegt Ilias.

'Dat kun jij helemaal niet horen als je in een verhaal zit,' zegt juf Johanna. 'Hoe vaak moet ik dat nog vertellen? Een schrijver werkt gewoon door. Ook al brandt alles om hem heen af.'

Ilias en de andere opkijkers moeten ook op hun linkerbeen achter in de klas gaan staan.

Er zijn nog zes kinderen over. Noël zit erbij. Hij neemt zich voor gewoon naar zijn papier te blijven kijken, wat er ook gebeurt.

Maar als juf Johanna gillend naar de kast wijst en roept dat er een rat onder zit, kijkt hij per ongeluk toch op. En de andere vijf kijken ook op.

'Af!' roept juf Johanna. 'Jullie zijn allemaal af. Wat een stelletje soepkinderen. Nou snap ik waarom die verhalen zo waardeloos waren. Jullie hebben geen talent. Maar jullie zullen het toch moeten leren. Blijf maar een tijdje op één been staan, misschien dat dat helpt. Straks gaan we het weer proberen. En waag het niet je rechterbeen neer te zetten.'

Margo die als eerste af was houdt het bijna niet meer uit. Haar rechterbeen komt steeds dichter bij de grond.

'Denk erom!' Juf Hendrika pakt dreigend het sleuteltje van de ren. 'Zodra jij je been neerzet, is het gebeurd met dat konijntje.'

Margo begint te huilen. 'Ik hou het niet meer...'

'Hou vol,' zeggen de andere kinderen. Ze proberen Margo te ondersteunen, als meneer Kauwenaar binnenkomt.

'Ze hebben net zo ingespannen gewerkt,' zegt juf Johanna. 'Dan moeten de spieren even losgemaakt worden. Mooi zo, kinderen. Zet maar weer neer. En nu je andere been van de grond. En wissel en wissel. Prima, gaan jullie maar weer lekker zitten.'

Dreigen

De kinderen zijn nog buiten als Piek de volgende ochtend de deur van de klas opendoet. 'Weer een hele dag met die kotskinderen. Ik wou dat ik nooit met dat belachelijke plan van jou had ingestemd.'

'Je weet toch waar we het voor doen?' Poeke duwt het krantenbericht onder Pieks neus en wijst op de beker.

'Er zit helemaal geen winnaar in deze klas,' zegt Piek.

Poeke stopt het bericht weg. 'Heb ik het soms voor niks uitgezocht?'

Om zeker te weten dat de winnaar niet is verhuisd heeft Poeke stiekem het computerbestand van meneer Kauwenaar doorzocht. Volgens zijn gegevens is er de laatste maanden niemand van school gegaan. Dat betekent dat de winnaar nog in de klas moet zitten. Maar hoe komen ze erachter wie het is? Ze kunnen meneer Kauwenaar ook niet over de verhalenwedstrijd uithoren, want dan verraden ze zichzelf misschien.

Ze moeten toch al oppassen. Volgens meneer Kauwenaar regent het telefoontjes van bezorgde ouders. Sommige kinderen schijnen in hun bed te plassen. Er is zelfs een leerling die spontaan is gaan stotteren. De ouders beweren dat het allemaal is begonnen sinds Poeke en Piek hun juf zijn.

'Ik weet niet hoe jij erover denkt, maar het kan zo echt niet langer doorgaan. Je merkt toch zelf ook wel dat Kauwenaar argwaan krijgt?' zegt Piek.

'Daar helpen we hem wel vanaf. Voordat ze een verhaal moeten verzinnen laten we ze een plakwerk voor ons maken.' Poeke legt op elke tafel velletjes gekleurd papier.

'Wat een mooie kleuren!' roepen de kinderen blij als ze binnenkomen.

'Dat moet ook,' zegt juf Hendrika. 'Want het plakwerk dat jullie gaan maken, wordt een cadeau.'

'Voor wie?' vragen ze.

'Voor een persoon aan wie je heel veel hebt te danken,' zegt juf Johanna.

'Oma! Papa! Mama! Tante Astrid...' Iedereen weet wel iemand.

'Fout!' zegt juf Johanna. 'Die persoon heeft met school te maken.'

Ineens weten ze het. Het plakwerk wordt voor meester Timo. De kinderen hebben gehoord dat hij weer terug is in het circus en dat hij hen heel erg mist. Ze vinden het fijn om hun meester te verrassen en knippen en plakken op hun mooist. Bij sommigen hangt het puntje van hun tong uit hun mond. Ze willen meester Timo zo graag blij maken dat ze de kinderen helpen die niet zo goed in knutselen zijn.

Als ze klaar zijn gaat juf Johanna rond met de viltstiften.

'Mooi zo,' zegt juf Hendrika als iedereen zijn lievelingskleur heeft uitgezocht. 'En in die prachtige kleur die je zelf hebt uitgekozen schrijf je erboven:

'Voor mijn lieve juffen'.'

De kinderen schrikken. Hebben ze daar zo hun best voor gedaan? Ze vinden hun plakwerk veel te mooi om aan die gemene juffen te geven.

'We doen het niet,' fluistert Ilias en hij legt zijn viltstift demonstratief neer. De hele klas doet hem na.

'Dus jullie weigeren onze instructies op te volgen?' zegt juf Hendrika. 'Dan moeten jullie het zelf maar weten.' En ze haalt de sleutel van de konijnenren uit haar tas en slaat een kookboek open.

'Konijn met kerriesaus,' leest ze hardop voor. 'U snijdt het konijn in stukken...'

'Nee!' gillen de kinderen.

'Vinden jullie dat niet lekker?' zegt juf Johanna. 'Dan maken we konijn met pruimen, hoor, dat kan ook.' En ze leest het recept voor: 'Ontdoe het gekookte konijn van de botjes...'

'U mag Stipje niet opeten!' roepen de kinderen, en ze schrijven vlug 'Voor mijn lieve juffen' boven hun plakwerk.

Juf Johanna legt de plakwerken expres helemaal vooraan op haar tafel.

Als meneer Kauwenaar binnenkomt, haalt ze vlug een zak drop uit haar tas.

'Gaat u trakteren?' vraagt meneer Kauwenaar.

De juffen knikken stralend. 'Het zijn ook zulke dotten. Moet u nou toch zien waar ze vanochtend mee aankwamen.' En ze wijzen op de plakwerken. 'Vindt u het niet ontroerend?'

'Dat is het zeker,' zegt meneer Kauwenaar. 'En dan te bedenken dat ik kom kijken of het hier wel goed gaat. Dat lijkt me nu een overbodige vraag. Jullie moeten wel heel blij met je juffen zijn als je thuis zoiets moois voor hen maakt.' En hij vertrekt weer.

'Dat heb je knap gedaan!' zegt Piek. 'Jij hebt wel een dropje verdiend.'

'En jij ook,' zegt Poeke. En ze stoppen een handvol drop in elkaars mond.

De kinderen houden hun hand op. 'U zou ons toch trakteren?'

'Eerst moeten jullie óns op een mooi verhaal trakteren,' zegt juf Hendrika.

'En daar zou ik maar niet te lang mee wachten als ik jullie was,' zegt juf Johanna. 'Over tien dagen zijn wij jarig. En als jullie dan nog steeds niet weten hoe je een goed verhaal moet schrijven, dan trakteren wij jullie.'

'Ja,' zegt juf Hendrika. 'Op een feest in onze kelder. Samen met de kakkerlakken en de muizen.'

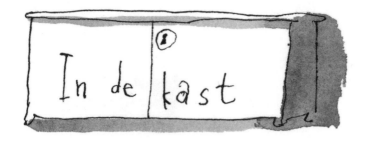

In de kast

'Wie van jullie is 's nachts wel eens bang?' vraagt juf Johanna.

Bijna alle vingers gaan omhoog.

'Vertel eens Lucie, waar ben je dan bang voor?'

'Dan denk ik dat er een spook onder mijn bed ligt,' zegt Lucie.

'Of onder de tafel.'

'Zijn jullie wel eens bang dat er hier ook een spook onder de tafel ligt?' vraagt juf Johanna.

De kinderen moeten lachen. 'Natuurlijk niet.'

'En waarom denken jullie dat 's nachts dan wel?' vraagt juf Hendrika.

Tom steekt zijn vinger op. 'Omdat het 's nachts donker is.'

'Juist,' zegt juf Hendrika. 'In het donker verzin je van alles. En dat gaan wij nu ook doen. Vanaf vandaag stoppen we elke dag iemand in de kast en die gaat daar in het pikkedonker een verhaal verzinnen.' Ze neemt de klassenlijst erbij.

Noël kruipt weg achter de rug van Tom. Hij weet dat hij boven aan de lijst staat omdat zijn naam met een A begint.

'Noël Aarts,' klinkt het door de klas. 'Jij mag beginnen.' En juf Hendrika houdt de kastdeur open.

Noël kijkt angstig naar de kast. 'Ik kan niets verzinnen,' zegt hij.

'In het donker wel,' zegt juf Hendrika. 'En als je
vanmiddag nog niks hebt verzonnen, mag je een
wurm opeten. Dan kun je schrijven over een jongen
die heel erge buikpijn krijgt.' En ze duwt Noël in de
kast en draait de sleutel om.

Noël zit al een tijdje in de kast als hij iets langs
zijn been voelt kruipen, maar het is zo donker dat
hij niet kan zien wat het is.

Hij hoort de zoemer voor het speelkwartier.
Iedereen begint te juichen. Ze zijn ook zo blij als ze
eindelijk even van hun juffen verlost zijn.

'Koppen dicht!' hoort hij juf Hendrika door de
kastdeur heen schreeuwen. 'Jullie mogen wel eens
aan ons denken met dat gejuich. Weten jullie wel
wat deze zoemer voor ons betekent? Dat wij een
kwartier lang met die brave juffen en meesters moeten doorbrengen. Als het aan ons lag, stopten we een
wespennest in het haar van juf Aafje. Maar wij
gedragen ons keurig en dat doen we alleen voor jullie. Naar buiten allemaal!'

Noël hoort de kinderen de klas uit hollen. Zouden
ze hem hier alleen laten? Maar de sleutel wordt al
omgedraaid.

'Eruit jij! Je hebt de zoemer toch wel gehoord?' En
juf Hendrika trekt hem aan zijn oor de kast uit.
'Straks stop ik je er weer in.'

Voordat ze zich bedenkt rent Noël de klas uit. Hij
botst bijna tegen Margo op die huilend binnenkomt.

'Juf, ik heb een bloedneus...'

'Ophoepelen!' buldert juf Hendrika. 'Of ik knip je

neus eraf.' En dan rent Margo heel hard de deur uit.

'Gaat het?' vraagt Piek bezorgd als haar zus briesend met haar haren overeind door de klas loopt.

'Nee!' Poeke haalt het konijn uit het hok. 'Hou de deur voor me open. Gauw! Ik spoel dat monster door de wc.'

'Laat los!' Piek haalt het konijn uit haar handen en zet het terug. 'Dat beest hebben we veel te hard nodig.'

'Ik hou het niet meer uit!' Poekes ogen rollen wild heen en weer en haar hart klopt zo snel dat het kettinkje op haar borst op en neer springt. 'Als ik niet vlug iets gemeens doe, word ik gek!'

'Kijk hier maar naar!' Piek houdt haar het krantenbericht voor.

Bij het zien van de beker wordt Poeke al rustiger. En met haar neus in het krantenbericht loopt ze naar buiten.

'Ik moet weten wat die valse juffen hier op school komen doen,' fluistert Noël tegen Twiet als ze samen onder de eik achter het fietsenhok zitten. 'Ik moet weten wat erachter zit.' En hij vertelt Twiet hoe gemeen ze zijn en dat Stipje in gevaar is. Dat ze hun konijn niet kunnen redden omdat de juffen een slot op de ren hebben gedaan. Twiet piept zachtjes. Hij kent het konijn heel goed. Als het mooi weer is en Stipje op het grasveldje achter de school staat, zit Twiet vaak op de ren te tjilpen.

Twiet tikt met zijn snavel tegen Noëls wang.
'Wat bedoel je?' vraagt Noël.

Maar als Twiet een paar keer naar het raam van
meneer Kauwenaar en weer terug vliegt begrijpt hij
wat de vogel bedoelt. 'Jij vindt dat ik meneer
Kauwenaar moet vertellen wat er aan de hand is,
maar dat kan juist niet. Ze hebben gezegd dat ze
Stipje doodmaken als een van ons iets doorvertelt. En
ik weet zeker dat ze het doen ook.' Nu vliegt Twiet
krijsend weg.

'Kom terug!' roept Noël. 'Je hoeft toch niet boos
op mij te worden, ik kan er ook niks aan doen.'

Maar Twiet is niet boos op Noël. Hij vliegt regelrecht naar de bank waar de juffen zitten en pikt in
hun neus.

'Hou op,
stinkende
verenbaal!'
roept juf
Hendrika en

ze slaat de vogel van zich af. Maar Twiet is niet bang,
hij pakt met zijn snavel het krantenbericht uit haar
hand en vliegt ermee weg.

'Hier met dat krantenbericht!' Juf Hendrika
springt woedend op, maar als juf Aafje omkijkt,
begint ze lief te lachen. 'Wat is het toch een grappig
beestje.'

'Hij heeft toch niks afgepakt, hoop ik?' vraagt juf
Aafje geschrokken.

'Een krantenknipsel,' lacht juf Johanna zoetjes. 'Dat
geeft niks hoor. We hebben het toch niet meer
nodig.'

'Stouterd,' zegt Noël lachend als Twiet het bericht

laat vallen. 'Dat is van die twee bedriegers.' Nou hij
het toch voor zich heeft wil hij wel eens weten wat
erin staat.

'Twiet!' roept hij blij als hij het leest. 'Je hebt me
geholpen. Nu weet ik waarom ze naar onze school
zijn gekomen. Ze willen een beker winnen, net als
bij de vorige verhalenwedstrijd.'

Langzaam wordt het Noël duidelijk. Nu snapt hij
waarom ze steeds moeten schrijven. Ze willen het
beste verhaal pikken. Maar dat gaat mooi niet door.

Dit moet hij tegen de anderen zeggen! Hij rent
naar de jongens van zijn klas die aan het voetballen
zijn.

'Ilias!' roept hij. 'Ik moet je iets vertellen.'

'Moet dat nu?' vraagt Ilias.

'Ja.' En Noël wenkt hem mee naar het fietsenhok.

'Ik heb iets ontdekt.' Noël voelt hoe opgewonden
hij is. 'Juf Hendrika en juf Johanna zijn dezelfden als
de Fladderjurken.'

'Fladderjurken?' vraagt Ilias verbaasd.

Noël knikt. 'Die twee die mijn verhaal hebben gepikt.'

'Nee hè,' zegt Ilias. 'Zit je nou alweer te liegen?'

'Luister nou,' zegt Noël. 'Geloof me, ze hebben mijn verhaal gepikt omdat ze die beker wilden winnen. En dat zijn ze nu weer van plan. Lees maar.' En hij houdt Ilias het bericht voor.

'Denk je dat nou echt?' Ilias begint te lachen. 'Wat heb jij ook een verzinhoofd, hè? Dat ik er nog intrap.' En hij loopt weg.

'Wat had hij?' vragen de jongens.

'Onzin, grote onzin.' En Ilias neemt een sprint en holt achter de bal aan.

 # Verzinnen

Er is er maar één die mij kan helpen, denkt Noël, en dat is meester Timo. Meteen na schooltijd rent hij naar het grote plein waar het circus staat. Maar als hij even later buiten adem de circustent in stormt ziet hij niemand. Hij wil al weggaan als hij zijn naam hoort roepen.

'Ha die Noël,' klinkt het blij. Noël herkent de stem van meester Timo, maar hij ziet hem niet.

'Hier ben ik!'

Noëls ogen gaan omhoog. Helemaal boven in de nok zwaait meester Timo aan zijn voeten aan de trapeze heen en weer. In een paar salto's staat hij op de grond en loopt op zijn handen naar Noël toe. 'Wat een verrassing dat je me komt opzoeken. Ik was zo opgelucht toen ik hoorde dat jullie twee lieve juffen hebben gekregen. In het begin maakte ik me zorgen, maar nu ik weet dat mijn klas in goede handen is, kan ik weer slapen.'

Noël slaat zijn ogen neer. Zijn meester heeft geen idee wat hij hem komt vertellen. Mag hij hem wel zo laten schrikken? Kan hij hem niet beter in de waan laten dat alles goed met hen gaat?

Maar Noël kan de wallen onder zijn ogen niet verbergen.

'Je maakt je toch geen zorgen?' vraagt Timo.

'Een beetje,' zegt Noël zo onverschillig mogelijk. 'Maar dat geeft niks hoor.'

'Dat geeft niks, dat geeft niks? Natuurlijk geeft dat wel wat. Hoe komt het dat je je zorgen maakt, heb je ruzie thuis?'

'Nee,' zegt Noël.

'Plagen ze je soms op school?'

Noël schudt zijn hoofd. 'Ik eh... het gaat om de klas eh... nee eh, het gaat om... en ook om de klas.' Nu hij bij zijn meester is weet hij ineens niet meer hoe hij het moet zeggen. 'Ach, laat ook maar.' Hij draait zich om en wil weglopen, maar Timo pakt hem bij zijn schouder. 'Ik wil dat je me vertelt wat er is, Noël.'

'Ook als het iets heel ergs is?' vraagt Noël.

Meester Timo knikt. 'Het allerergste wat ik kan bedenken is dat het slecht gaat met mijn klas. Maar zelfs als dat zo zou zijn wil ik het weten.'

'Het is het allerergste,' zegt Noël zachtjes.

'Hoe bedoel je?' vraagt meester Timo.

'Het gaat slecht met de klas.' En Noël vertelt wat er de laatste tijd in de klas is gebeurd en waar hij achter is gekomen.

'Dat is verschrikkelijk... heel verschrikkelijk...' Meer kan meester Timo niet uitbrengen.

'Ik hoopte dat u ons kon helpen,' zegt Noël.

Een tijdje staan ze zwijgend tegenover elkaar.

'Ik zou niets liever willen,' zegt meester Timo. 'Maar hoe moet ik dat doen? Ik ben geen meester meer. Niemand luistert naar mij. De burgemeester lacht me uit als ik dit vertel.'

'En de politie?' vraagt Noël.

'Ik ben weggestuurd, Noël,' zegt meester Timo. 'Iedereen zal denken dat ik wraak wil nemen. Zelfs meneer Kauwenaar zal me niet geloven. Hij zal boos worden en denken dat ik de school voor gek wil zetten.' Meester Timo schudt maar met zijn hoofd. 'Wat afschuwelijk.'

Na een tijdje kijkt hij Noël aan. 'Er zal toch iets moeten gebeuren. Ik heb geen rustig moment meer nu ik dit weet. Eigenlijk moet ik er nu meteen iets op bedenken, maar ik ben bang dat het mij niet lukt. Had ik maar wat meer fantasie. Als dat zo was had ik nu nog voor de klas gestaan. Dan had ik wel iets verzonnen om de burgemeester op andere gedachten te brengen. Toen hij me wegstuurde heb ik nachten wakker gelegen om een plan te bedenken, maar er kwam niks. Helemaal niks. En waarom zou het me dan nu wel lukken? Mijn arme klas... Het is toch onverdraaglijk dat ik niks voor jullie kan doen...'

'Zal ik dan maar gaan?' Noël vindt het moeilijk om zijn meester zo wanhopig te zien.

'Nee Noël, laat me nadenken.' Om goed te kunnen denken pakt hij een mooie rode circusbal, springt erop en rolt door de piste, steeds sneller. 'Ik heb het...!' roept hij na drie rondjes en hij springt van de bal.

'Wij gaan dit samen oplossen, Noël. Dat ik daar niet meteen aan heb gedacht. Ik mag dan geen fantasie hebben, maar jij hebt die wel. Jij gaat naar huis en verzint een plan. Zodra je het hebt, vertel je het aan mij en dan help ik je om het uit te voeren.'

Timo verwacht dat Noël opgelucht zal zijn, maar hij raakt er nog erger van in de war.

'Dat kan niet meester, ik wil nooit meer iets ver-

zinnen. Helemaal nooit meer. Dat heb ik mezelf
gezworen.'

Meester Timo legt een hand op Noëls schouder.
'Natuurlijk is het heel pijnlijk dat ze niet willen
geloven dat het jouw verhaal was. Maar dat is nog
geen reden om jezelf te straffen door nooit meer iets
te verzinnen. Je moet juist doorgaan met verhalen
bedenken, anders word je nooit een beroemd schrijver.'

'Ik wil helemaal geen schrijver meer worden,' zegt

Noël. 'Ik meen wat ik zeg, ik verzin nooit meer iets.' En voordat zijn meester hem probeert over te halen rent hij het circus uit.

'Noël!' roept meester Timo. 'Kom terug!'

Maar Noël rent door.

Noël zit op zijn bed. In zijn gedachten ziet hij de bange gezichten van de kinderen in zijn klas voor zich. Hoe lang zullen ze dit volhouden? Het ergste is nog dat Noël weet dat meester Timo gelijk heeft. Hij is heus wel in staat een goed plan te bedenken. Het mag alleen niet, dat heeft hij zichzelf gezworen. Hij voelt zich schuldig tegenover de klas, maar hij kan zijn woord toch niet zomaar breken... dat heeft hij nog nooit gedaan. Of wel? Hij denkt aan het begin van het schooljaar toen hij naast Jeroen zat. Omdat Jeroen niet kon rekenen zei Noël hem altijd voor. Op een dag had Jeroen hem verraden en toen heeft Noël bij zichzelf gezworen hem nooit meer voor te zeggen. Maar toen Jeroen een paar dagen later wanhopig voor het bord stond, kreeg hij medelijden en deed hij het toch. Achteraf heeft hij er nooit spijt van gehad dat hij zijn woord heeft gebroken. Waarom zou hij dan nu wel spijt krijgen? Hij denkt aan de verjaardag van de juffen die steeds dichterbij komt. Hij weet zeker dat er kinderen zijn die er nu al van wakker liggen. Misschien is hij wel de enige die zijn klas kan helpen. En ineens weet hij zeker dat hij het moet doen.

't schrik-je-te-pletter-project

De burgemeester heeft al contact opgenomen met het bekendste opsporingsbureau in Amerika. Ze hebben hem gegarandeerd dat ze de prijswinnaressen kunnen achterhalen. Maar dan zal de stad wel de prijs van de landelijke verhalenwedstrijd moeten winnen. Waar moet hij anders de rekening van betalen?

'Luister, Van Delden,' zegt de burgemeester, en hij leest vol verwachting de stapel verhalen voor die sinds de bekendmaking het gemeentehuis zijn binnengekomen.

'En?' vraagt hij na elk verhaal 'Wat vind je ervan?'

'Heel knap,' zegt meneer Van Delden telkens. 'Maar net niet knap genoeg.'

'Wat heb ik daar nou aan, man?' buldert de burgemeester als hij door de hele berg heen is. 'We moeten die prijs winnen. Wanneer is de sluitingsdatum?'

'Over twee weken,' zegt meneer Van Delden.

'Dan stel ik voor dat we voor alle scholen een Schrik-je-te-pletter-project opzetten.'

'Een Schrik-je-te-pletter-project?' vraagt meneer Van Delden verbaasd.

'Ja,' zegt de burgemeester. 'Dan maken ze tenminste iets mee. Waar moet je over schrijven als je niks beleeft?

We moeten voor elke klas een verschillend uitje bedenken. Met de ene gaan we bijvoorbeeld in een boot door een grot. En dan laten we de schipper zeggen dat ze hun handen binnen boord moeten houden omdat er levensgevaarlijke piranha's in het water zitten. Dan moet hij een vis in het water houden waar een paar tellen later nog alleen een graatje van over is. En als ze dan op de helft van de boottocht zijn, moet hij omroepen dat de boot gaat zinken. De gedachte dat je laatste uur is aangebroken en dat je levend wordt opgegeten, daar komen pas mooie verhalen van.

En voor een andere klas zetten we een ontvoering in scène. Als je er zeker van bent dat je je ouders nooit meer terugziet, dan heb je pas iets meegemaakt. En wat dacht je ervan om een groep een rondleiding door een griezelkasteel te geven. Moet jij eens kijken wat er met ze gebeurt als plotseling de deur achter hen dichtvalt en ze opgesloten zitten tussen de skeletten. En als we dan ook nog een of andere geest laten omroepen dat de skeletten gaan leven, dan slaat hun fantasie wel op hol. Het is een noodplan, dat begrijp je. Ik zal de meesters en de juffen persoonlijk vertellen dat ze nog een week de tijd hebben om een goed verhaal in te leveren. Lukt dat niet, dan gaat het Schrik-je-te-pletter-project van start.'

'Maar de ouders dan, meneer de burgemeester,'

zegt meneer Van Delden. 'Die zullen nooit in zo'n gruwelijk plan toestemmen.'

'De ouders hoeven nergens van te weten,' antwoordt de burgemeester. 'Ik geef de juffen en meesters de opdracht hun kiezen op elkaar te houden, anders worden ze op staande voet ontslagen.'

'Ze zullen er heel erg op tegen zijn, burgmeester.'

'O ja?' De burgmeester begint te lachen. 'Als ze zo bezorgd voor hun klasje zijn, dan moeten ze voor een goed verhaal zorgen. Doen ze dat niet, dan stel ik hen persoonlijk verantwoordelijk. Wat sta je daar nou, man?' schreeuwt de burgemeester tegen meneer Van Delden. 'Laat een auto voorkomen.'

Hij laat een lijst maken van de scholen die hij gaat bezoeken. En omdat de school van meneer Kauwenaar het dichtst bij het gemeentehuis ligt, staat die boven aan de lijst.

Piek kijkt toevallig uit het raam als de auto van de burgemeester het schoolplein oprijdt. Ze roept snel Poeke, die net een kind in de kast opsluit. 'We moeten hier zo snel mogelijk zien weg te komen,' fluistert ze. 'De burgemeester komt eraan.'

Poeke wordt spierwit. 'Doe dan wat!' valt ze uit.

Maar Piek is veel te veel in paniek om iets te verzinnen.

'Ik merk het alweer, aan jou heb ik niets,' sist Poeke.

'Je voelt je toch wel goed?' vraagt ze zo hard dat de hele klas het kan horen. Piek speelt meteen mee, kijkt naar de klas, draait met haar ogen en zakt heel langzaam in elkaar. Met haar mond half open en haar tong uit haar mond ligt ze op de grond.

De kinderen geven een gil van schrik.

Poeke doet of ze haar zus wil bijbrengen en geeft haar klapjes op haar wang. 'Wat heb je, lief zusje?' Maar er komen alleen enge kreungeluiden uit Pieks mond.

Poeke gooit wat water over haar gezicht. 'Mijn hart!' zegt Piek hijgend en ze doet net of haar hart er elk moment mee op kan houden.

Poeke wijst twee kinderen aan. 'Zeg tegen meneer Kauwenaar dat hij op jullie moet passen. Wij zijn naar het ziekenhuis.' En ze tilt Piek op.

Tom houdt de deur voor haar open.

'Nee uilskuiken, ik stap natuurlijk door het raam, dat gaat toch veel sneller.'

Lucie die vlak bij het raam zit, springt op en schuift het open. Poeke legt Piek in de vensterbank, klimt naar buiten en pakt haar zus. Na twee stappen bedenkt ze dat er nog iemand in de kast zit en ze laat Piek los.

'Au!' Piek valt keihard met haar hoofd op de stenen.

'Je hebt het aan je hart,' sist Poeke en ze klimt naar binnen, sleurt Ilias aan z'n haren uit de kast en geeft hem een duw in de richting van z'n plaats. Als ze weer buiten komt, raapt ze Piek op en holt met haar over het schoolplein.

Zodra ze door het hek zijn gooit Poeke haar zus in de bosjes en kruipt zelf achter een boom. Ze wachten tot de burgemeester voorbijkomt. Als zijn auto de hoek om is gaan ze terug naar school.

'Bent u er nu al weer?' vraagt meneer Kauwenaar verbaasd als ze de klas inkomen.

'Ze hebben haar helemaal onderzocht,' zegt juf Hendrika. 'Wat ik al dacht, het is stress. Het kan ook niet anders, ze maakt zich zo druk om onze verjaardag. Ze wil er een echt groot feest voor de kinderen van maken. Zo is Johanna. Het is nooit genoeg.'

'Is het niet beter als u rust houdt?' vraagt meneer Kauwenaar bezorgd.

'Dat kan nu niet,' zegt juf Hendrika. 'Over een week is de verjaardag achter de rug en dan komt het wel weer goed. Ze heeft de kinderen beloofd dat we ze mee naar ons huis nemen om het te vieren.'

'Ze hebben het er elke dag over,' zegt juf Johanna. 'Dan kan ik toch niet ziek thuis blijven?'

'Bovendien hebben we al van alles gehuurd,' zegt juf Hendrika. 'U gelooft het niet als u het hoort. Kapitalen kost het ons, maar zo is mijn zus nou eenmaal. U vindt het hopelijk toch wel goed dat we ze een middagje meenemen?'

'Het is niet gebruikelijk,' zegt meneer Kauwenaar. 'Daar moet ik eigenlijk toestemming voor vragen aan de ouders.'

Juf Johanna begint weer met haar ogen te draaien.

'Nee, u gaat toch niet zeggen dat het niet doorgaat?' En ze grijpt met haar hand naar haar hart.

'Rustig maar,' zegt meneer Kauwenaar geschrokken. 'Het komt wel goed. Ik maak een uitzondering. Ik weet dat de klas bij u veilig is.'

'Er is nog iets wat ik u moet vertellen,' zegt meneer Kauwenaar. En hij neemt hen mee naar de gang.

'De burgemeester was hier.'

'De burgemeester?' roepen juf Hendrika en juf Johanna tegelijk. 'Wat jammer dat we er niet waren.

183

We hadden hem zo graag ontmoet.'

'Ik moet een boodschap aan u doorgeven,' zegt meneer Kauwenaar 'En daar zult u echt niet blij mee zijn.' En hij vertelt over het Schrik-je-te-pletter-project.

'Is hij nou helemaal mal!' roept juf Hendrika uit.

'Die arme kinderen,' zegt juf Johanna geschrokken.

'Die man heeft geen hart,' zegt meneer Kauwenaar. 'Eerst al die strafmaatregelen en nu dit.'

'We moeten de kinderen hiervoor behoeden,' zegt juf Johanna. 'Al moet ik zelf een hele nacht opblijven om een verhaal te schrijven, dat gruwelijke project gaat niet door.'

'Voor onze kinderen geen Schrik-je-te-pletter-project,' zegt juf Hendrika. 'Daar kunt u van op aan.'

Meneer Kauwenaar loopt hoofdschuddend weg. 'Wat boffen ze toch met u.'

'Jullie hebben het zeker wel gehoord,' zegt juf Hendrika als ze de klas inkomen. 'We hebben toestemming gekregen om onze verjaardag te vieren. Als jullie niet snel een verhaal bedenken, zitten jullie over een week bij ons in de kelder.'

'Dan mogen jullie ons helpen met de slingers. De vleermuizen hebben we al in huis. We weten al hoe we de slingers het beste kunnen maken. Jullie moeten de vleermuizen met de vleugels aan elkaar plakken.'

De kinderen rillen van afschuw. 'We vinden vleermuizen eng!'

'Blijkbaar niet eng genoeg,' zegt juf Hendrika. 'Anders lag er wel een stapel prachtige verhalen op onze tafel.'

Het plan

Noël heeft het gevoel dat hij de hele wereld aankan. Voor het eerst sinds weken heeft hij weer eens iets verzonnen. Met een kant-en-klaar plan in zijn hoofd wil hij de circustent inrennen, maar de circusdirecteur, die bij de ingang staat, houdt hem tegen.

'Ho ho, mag ik even je kaartje zien, jongeman?'

'Ik heb geen kaartje,' zegt Noël.

'Dan kan ik je helaas niet toelaten,' zegt de directeur. 'Of je moet thuis geld halen. Maar dan mag je wel heel snel zijn, want de voorstelling begint al over tien minuten.'

'Ik kom voor meester Timo,' zegt Noël.

'Meester Timo? Die kennen we hier niet,' zegt de directeur. 'Acrobaat Timo, die werkt hier wel.'

'Dan kom ik voor acrobaat Timo,' zegt Noël.

De directeur schuift het gordijn dat voor de ingang hangt opzij. 'Zie je al die kinderen op de tribune? Die komen allemaal voor acrobaat Timo. En ze hebben ook allemaal een kaartje moeten kopen, dus jij moet dat ook.'

Noël loopt de circustent weer uit. Van onmacht geeft hij een trap tegen een leeg colablikje. Nou heeft hij een plan en dan kan hij het niet eens aan zijn meester vertellen.

Hij loopt een poosje over het circusterrein te dwalen als hij een idee krijgt, en hij loopt naar de achterkant van de tent. Daar gaat hij plat op zijn buik in het gras liggen. Voor de zekerheid kijkt hij nog een keer om zich heen, maar als niemand hem ziet, kruipt hij gauw onder het zeil door. Hij heeft zichzelf net naar binnen gewurmd als een sterke hand hem in zijn nekvel grijpt en omhoogtrekt.

'Wat zullen we nou krijgen?' Noël kijkt in het verontwaardigde gezicht van een clown. 'Lelijke indringer, wil je maken dat je wegkomt!' Hij wil Noël net uit de tent zetten als Timo in zijn acrobatenpak eraan komt.

'Noël, je bent er!'

'Sorry,' zegt de clown. 'Ik wist niet dat jullie elkaar kenden.' Hij laat Noël los.

'Ik heb een plan bedacht,' zegt Noël.

'Vertel op?' zegt meester Timo.

Achter het gordijn hoort Noël de directeur het publiek toespreken.

'We zetten een prijsvraag in de krant,' zegt Noël. 'Ik weet zeker dat juf Hendrika en juf Johanna daaropaf komen, want we loven een...'

De circusmuziek overstemt Noëls woorden.

'Wat loven we uit?' roept Timo.

'Een prachtige gouden beker!' schreeuwt Noël. 'Wie de beker wil winnen, moet iets aan een land toevoegen. Iets wat er in dat land nog niet is.'

Noël kijkt naar het gordijn dat wordt opengeschoven. De clown loopt met een koffer de piste in.

'Wat ze aan dat land toevoegen mogen ze niet opsturen,' zegt Noël. 'Dat moeten ze in het land zelf maken.' Nu moet hij nog harder schreeuwen om boven de lachsalvo's van het publiek uit te komen.

'Mogen ze het land zelf kiezen?' vraagt Timo.

'Zogenaamd wel, maar als die twee bedriegsters zich opgeven, zijn alle landen ineens bezet. En dan is er nog maar één land waar ze naartoe kunnen!'

De clown geeft Timo een teken dat hij op moet. Noël denkt dat hij moet stoppen met praten, maar Timo zet hem op zijn schouders, stapt op een fietsje met één wiel en rijdt de piste in.

'Welk land blijft er dan over?' schreeuwt Timo.

'De Noordpool,' brult Noël die het best een beetje eng vindt om zo hoog te zitten.

De kinderen juichen, want ze hebben nog nooit

gezien dat een acrobaat een jongetje op zijn schouders had.

Timo rijdt tegen een plank op die schuin omhoog staat. Noël wordt bijna duizelig als hij naar beneden kijkt.

Maar Timo praat gewoon door. 'De Noordpool, wat een goed idee.' Als hij helemaal bovenaan is, haalt hij vijf ballen uit zijn zak en gooit ze om de beurt in de lucht. Omdat hij met zijn hoofd bij het plan zit laat hij er bijna één vallen, maar gelukkig vangt hij hem nog net op.

'Fantastisch!' zegt Timo. 'Als ze eenmaal op de Noordpool zijn, zien we ze nooit meer terug.' Met een krachtige beweging draait hij zich om.

Help, nou moeten we naar beneden, denkt Noël en hij houdt zich angstig aan Timo's haar vast.

Het publiek gilt als Timo en Noël omlaag zoeven. De kinderen op de voorste rij deinzen naar achteren uit angst dat Timo het publiek in zal crossen. Maar in het midden van de piste staat hij keurig stil. Hij springt van zijn fiets, houdt Noël in zijn ene hand omhoog en zijn fiets in de andere. En dan buigt hij. De kinderen vinden het zo'n prachtige truc dat ze maar blijven klappen.

Onder het applaus rent Timo met Noël naar achteren.

'Vlug! We moeten nu naar de krant, dan staat de advertentie er morgen nog in. Over tien minuten moet ik weer op.'

En Timo rent met Noël de circustent uit.

de Noordpool

Op de voorpagina van de krant staat een grote foto van meester Timo die hoog in de trapeze heen en weer zwaait met een mobieltje tegen zijn oor. 'De nieuwste stunt', staat erboven.

Noël is de enige die weet dat het niets met een nieuwe stunt te maken heeft.

Sinds de advertentie in het ochtendblad heeft gestaan, rinkelt de mobiel van meester Timo aan één stuk door. Ze hadden nooit gedacht dat er zoveel mensen op de prijsvraag zouden reageren. Zelfs tijdens zijn beroemde supersalto's telefoneert Timo gewoon door. Het publiek, dat denkt dat het bij de stunt hoort, klapt aan één stuk door voor hem.

De kranten hebben het over een hypermoderne truc.

Ook de circusdirecteur is er blij mee, want Timo's stunt trekt veel toeschouwers. Elke voorstelling is uitverkocht.

Toch zijn Timo en Noël nog geen stap verder gekomen met hun plan. Ook al heeft Timo een rood oor van het bellen, juf Hendrika en juf Johanna hebben nog steeds niet gereageerd.

Poeke en Piek zijn zo somber dat ze de winnaar van de verhalenwedstrijd nog steeds niet hebben opgespoord, dat ze nergens meer zin in hebben. Al in geen dagen hebben ze de post bekeken en de kranten liggen nog ongelezen op de deurmat. De televisie en de radio staan ook niet aan. Het breiwerk van Piek ligt al dagen in een hoek. Het enige wat ze doen als ze uit school komen is kibbelen.

Ze halen allebei alleen boodschappen voor zichzelf en ze maken elk hun eigen eten klaar. Ze dekken ieder de helft van de tafel en wassen alleen de spullen af die ze zelf vuil hebben gemaakt.

Na het eten gaan ze meteen naar bed. Zonder welterusten te zeggen draaien ze zich van elkaar af.

's Morgens gaan er twee wekkers af. En als overdag de bel gaat doet geen van tweeën open. Maar de buurvrouw, die zeker weet dat de zussen thuis zijn, tikt op een middag tegen het raam en zwaait vrolijk naar de tweeling.

'Kijk eens,' zegt ze als de deur opengaat. 'Ik heb heerlijke bietjes voor jullie meegenomen uit de tuin. Ze zijn onbespoten!'

'Verrukkelijk,' zegt Piek.

'Dat wordt smullen,' zegt Poeke.

Zodra de buurvrouw weg is gooien ze de krant met de bietjes erin in de vuilnisbak. Maar die is propvol, en ze krijgen het deksel niet dicht. Ze zetten elk een voet op het afval en stampen het aan. De krant waar de bietjes in zaten valt eruit zodat hun oog op de gouden beker valt. Nog geen tel later staan ze samen naast de vuilnisbak over de krant gebogen.

'We hebben de winnaar niet meer nodig!' roept
Piek.

'Dit wordt onze laatste beker!'

En met de armen om elkaar heen dansen ze door
de keuken.

Diezelfde middag komt Noël de circustent inrennen. Hij kijkt meester Timo vragend aan, maar die schudt zijn hoofd.

Noël krijgt niet eens de kans om zijn meester te spreken. Het deuntje van de mobiel blijft maar gaan.

'Het spijt me,' hoort Noël Timo zeggen. 'Dit is wel mijn nummer, maar ik weet hier niets van. Het moet een misverstand zijn.'

Zuchtend drukt Timo zijn mobiel uit. 'Zo gaat het nou de hele dag. Daar word je toch gek van.' Maar een tel later gaat zijn telefoon alweer over.

'Nee hè?' zucht Timo. Hij ziet eruit of hij de mobiel elk moment in een hoek gaat smijten.

'Laat mij maar even,' zegt Noël.

'Graag,' zegt Timo.

'Ja, hallo.' Noël kan zijn oren niet geloven als hij de stem aan de andere kant hoort. Ik verbeeld het me, denkt hij, dat kan niet anders. Meester Timo heeft al honderd keer zijn mobieltje opgenomen en steeds zijn het onbekenden. En nu neem ik een keertje op...

'Komt er nog wat van?' snauwt de stem in zijn oor.

Nu weet hij het zeker. Van de schrik kan hij geen woord uitbrengen en hij legt zijn hand op de mobiel. 'Dat zijn ze...' fluistert hij.

Dagen heeft Timo op dit moment gewacht, maar nu het zover is trilt zijn hand als hij z'n telefoon pakt.

'Eh... neemt u me niet kwalijk, er ontstond hier een kleine verwarring, zegt u het maar.' Hij houdt de telefoon zo dat Noël mee kan luisteren.

'Ah, u bent twee zussen,' herhaalt hij. 'Een tweeling en beiden uitvindster.'

'We hebben al een land gekozen waaraan we iets kunnen toevoegen,' klinkt het aan de andere kant.

Nu komt het eropaan, denkt Noël.

Meester Timo raakt even in de war. 'Welke school, ik bedoel... eh... land hebt u in gedachten?'

'Nederland,' klinkt het beslist.

'Het spijt me,' zegt meester Timo. 'Nederland hebben we al uitbesteed.'

'België dan maar,' klinkt het geïrriteerd.

'Een moment,' zei meester Timo. 'Ik moet u teleurstellen. Ik zie net dat België er ook al uit is. Eens even kijken naar de andere landen in Europa. Nee, ik heb helemaal niets meer openstaan. Er is ook zo'n vraag naar ons project. Het is heel spijtig maar u bent te laat.'

'Dat kunt u niet menen,' klinkt het fel. 'Wij moeten meedoen. Hoort u wat ik zeg, het moet. Wij moeten die beker winnen.'

'Wacht eens even,' zegt meester Timo. 'Er is nog één plek op de wereld waar niemand zich voor heeft ingeschreven. Zie ik het nou goed of is-ie ook weg...'

'Kijk dan eens uit je doppen, kerel!'

Timo blijft uiterst vriendelijk. 'U hebt geluk. De plek staat nog open.'

'Man schiet op, zeg nou maar om welk land het gaat.' Het klinkt zo schel dat Timo de telefoon een eindje van zijn oor houdt.

'Het gaat om de Noordpool,' zegt meester Timo.

'De Noordpool?' klinkt het verontwaardigd. 'Hoe durf je het voor te stellen, man. Zo'n verre reis is toch veel te duur. Wie kan dat nou betalen. Wij niet hoor. Ja, heen zal nog wel gaan, maar hoe denk je dat we terug moeten? Liftend of zo?'

196

Timo kijkt Noël geschrokken aan. Het mag nu niet misgaan.

'Een ogenblikje, ik moet dit even uitzoeken.' Met zijn hand dekt hij de telefoon af. 'Ze hebben het geld niet om terug te gaan.'

Noël fluistert iets in Timo's oor.

'Er is overal aan gedacht, mevrouw. Ik zie hier dat u bij de Noordpool niet alleen een beker kunt winnen, maar dat die beker gevuld is met geld. Het bedrag moet ik nog even geheimhouden, maar ik verzeker u dat het meer dan genoeg is voor de terugreis.'

'O, dat verandert de zaak. Ik zal het even met mijn zus overleggen. Je houdt die Noordpool voor me vast, begrepen?'

'Eigenlijk kunnen we daar niet aan beginnen,' zegt Timo. 'Er is zo'n grote belangstelling voor de prijsvraag. Maar omdat u zo vriendelijk bent, maak ik een uitzondering. Geef uw telefoonnummer maar, dan bel ik u over een uur terug. Tot die tijd hou ik hem voor u vast.'

Timo schrijft het nummer op.

'Tot later.' Met een vuurrood hoofd drukt hij zijn mobiel uit.

Voor de zoveelste keer kijkt Timo op zijn horloge. 'Er is pas een kwartier voorbij, dat is toch niet te geloven. Het lijkt wel een eeuwigheid.'

Noël zit voor geluk te duimen.

Timo loopt onrustig heen en weer. 'Als ze er maar intrappen.' Hij gaat op de tribune zitten, maar na een paar tellen springt hij alweer op. 'Nog een kwartier en dan bel ik.' En hij haalt zijn mobiel vast uit zijn zak.

'Vreemd dat er nu niemand meer belt,' zegt Noël die maar door duimt.

'Zo gek is dat niet,' zegt Timo. 'Ik heb hem uitgezet. Ik werd gek van dat deuntje. Maar het helpt niet echt. Ik hoor het nog steeds. Het zal nog wel even duren voor ik het uit mijn hoofd kan krijgen. Maar dat kan me niet schelen. Al duurt het nog een jaar. Als ons plan maar lukt. Jullie moeten van die vreselijke juffen worden verlost.'

Na een paar minuten kijkt hij weer op zijn horloge. 'Zal ik bellen?'

'Nog niet,' zegt Noël. 'Dat wekt argwaan. We moeten nog even geduld hebben.'

Maar vijf minuten later houdt hij het zelf niet meer uit. 'Laten we nou maar bellen,' zegt Timo. 'En dan zeggen we gewoon dat we niet langer konden wachten omdat de telefoon roodgloeiend staat.'

Van de spanning houdt Noël zijn adem in. Over een halve minuut weten we het, denkt hij en hij duimt nog sneller.

'Het spijt me dat ik u nu al moet bellen,' hoort hij Timo zeggen. 'Maar we kunnen de Noordpool niet langer voor u vasthouden. Het loopt storm. Hebt u al een besluit genomen?'

Noël voelt zijn hart in zijn keel kloppen.

'U doet het,' zegt Timo zo rustig mogelijk, maar van blijdschap springt hij drie meter de lucht in.

'Ja, u bent geheel vrij in uw materiaalkeuze. Dat hebben we expres zo bepaald. De een werkt nou eenmaal liever met hout en de ander met klei. In uw geval kunt u ook iets van ijs maken. Dat is daar genoeg. O, u wilt kleur aan het witte karakter van de Noordpool toevoegen? Heel origineel. Nee hoor, u hoeft mij niet te vertellen hoe u die kleuren gaat inbrengen. Dat mag u voor uzelf houden. Maar ik moet zeggen dat het wel heel bijzonder klinkt. Als ik u zo hoor, is het zeker de moeite van de lange reis waard. Als u uw adres geeft, zorg ik ervoor dat u vandaag nog alle informatie krijgt. Een ogenblikje.' Timo noteert het adres. 'Ik stuur even een koerier bij u langs, dan hebt u de gegevens vanmiddag nog in huis.'

'Ze doen het!' Noël rent van blijdschap een rondje met zijn armen omhoog door de piste. En Timo maakt een radslag.

'Zouden we dan echt van ze af zijn?' vraagt Noël.

'Reken maar,' zegt meester Timo. 'We zorgen ervoor dat ze over een paar dagen al vertrekken.'

 # het Afscheid

'Waar heb je dat ding vandaan?' vraagt Piek als Poeke op een bakfiets komt voorrijden.

'Hij stond bij de groenteman voor de deur, zo voor het grijpen. Die Andijviekop mag ons wel dankbaar zijn. Wij lenen 'm alleen even voor onze reis en daarna krijgt-ie hem weer terug. Anders was een ander er wel mee vandoor gegaan en dan kon hij ernaar fluiten.'

Poeke kijkt naar de berg wol die in de tuin ligt. 'Als ikzelf niet te veel plek inneem past het er wel in.'

'Jij? Ik zul je bedoelen. Ik mag in de bakfiets zitten en jij trapt.' Piek zet haar koffer er vast in.

'Waarom moet ik trappen?' vraagt Poeke.

'Omdat het mijn wol is,' zegt Piek. 'Ik wil bij mijn wol zitten, dat is toch logisch.'

Poeke tilt haar koffer in de bakfiets. 'Zo, nou ligt mijn koffer er ook in. Ik wil ook bij mijn koffer zitten.'

'Best, dan bind ik hem wel op je rug,' zegt Piek.

'Ik wist het wel, jij moet altijd je zin hebben. Klim er maar in met je harkenbenen.' Poeke sjouwt de wol naar de bakfiets. Al bij de tweede lading is er van de koffers niets meer te zien.

'Het is nog niet eens de helft,' verzucht Piek die tot haar middel onder de wol zit.

Bij elke lading die Poeke op de bakfiets kiepert, raakt Piek verder onder de wol bedolven.

'Ik stik!' roept Piek als de wol tot haar neus komt.

'Je moest toch zo nodig bij je wol zitten?' En Poeke gooit de rest van de wol op de berg.

'De haven is rechtdoor, hoor!' roept Piek als Poeke rechtsaf slaat.

'We gaan nog even langs die domme-kippen-school,' zegt Poeke. 'Ik wil dat schoolkrijtje Kauwenaar wel eens horen piepen als we zeggen dat we ervandoor gaan.'

De zoemer is al gegaan als Poeke de bakfiets het schoolplein oprijdt.

'We gaan niet helemaal naar binnen hoor.' Poeke klingelt met de bel alsof er brand is.

Meneer Kauwenaar kijkt verbaasd naar buiten. Ook alle kinderen en juffen en meesters gaan voor het raam staan.

Poeke wenkt meneer Kauwenaar dat hij naar buiten moet komen. Met een stralend gezicht komt hij de school uit.

'Wat hebt u nu weer voor enig project bedacht. U weet ons toch elke keer te verrassen.'

'Dit wordt uw grootste verrassing,' zegt Poeke.

'Ja,' zegt Piek. 'We houden ermee op. We hebben geen zin meer om elke morgen die muffe sigaren-doos van u in te gaan.'

'Wat zegt u nu?' vraagt meneer Kauwenaar ver-schrikt.

'U bent toch niet doof of zo? We kappen ermee.'

'Dat kunt u niet menen,' zegt meneer Kauwenaar. 'Als u niet meer komt, wat moet ik dan met de kinderen uit de klas?'

'In een vuilniszak stoppen en aan de weg zetten,' zegt Piek.

Poeke grinnikt. 'Dan worden ze tot kunstmest vermalen en dan zijn ze tenminste nog ergens goed voor.'

'Ma-ma-ma-maar u ku-kunt de ki-kinderen toch niet zo ma-maar in de ste-steek laten?'

'Kinderen?' vraagt Poeke. 'Ik zie nergens kinderen. U bedoelt toch niet die kledders vogelpoep die tegen het raam geplakt zitten?'

'Juf Hendrika!' roept meneer Kauwenaar uit. 'Wat is er ineens met u gebeurd? En u herken ik ook niet meer, juf Johanna. Bent u soms ergens boos over? Als ik iets verkeerd heb gedaan moet u het zeggen.'

'U hebt niets verkeerd gedaan,' zegt Poeke. 'Maar uw ouders wel.'

'Mijn ouders?'

'Ja, ze hadden u nooit moeten maken!'

Meneer Kauwenaar wordt krijtwit en kan geen woord meer uitbrengen. Hij hapt naar lucht, draait zich om en loopt de school in.

Ik moet weten wat meneer Kauwenaar gaat doen, denkt Noël die alles vanachter het raam heeft gevolgd. Hij moet er niet aan denken dat het toch nog misgaat op het allerlaatste moment, nu ze al bijna weg zijn. En hij glipt ongemerkt de klas uit naar de kamer van meneer Kauwenaar.

'Rustig maar,' hoort hij juf Aafje zeggen. 'De burgemeester komt er zo aan.'

'Alsof ik daar rustig van moet worden.' Meneer Kauwenaar dept met zijn zakdoek het zweet van zijn voorhoofd. 'Die man is een verschrikking. Hij heeft al genoeg schade aangericht met zijn belachelijke maatregelen. En als hij Timo niet had ontslagen was dit allemaal nooit gebeurd. Je had hem nooit moeten bellen!'

Maar Noël is juist blij als hij hoort dat de burgemeester onderweg is. Hij weet zeker dat de burgemeester juf Johanna en juf Hendrika zal herkennen van de verhalenwedstrijd. Als hij met zijn eigen ogen ziet hoe gemeen ze zijn, zal hij hem eindelijk geloven. Noël hoopt dat de burgemeester hem dan zal helpen zodat zijn vrienden weer met hem willen spelen.

Ik moet ze tegenhouden, denkt hij als hij door het raam ziet dat juf Hendrika op de bakfiets stapt, en hij holt naar buiten. 'Juf Hendrika, wacht! U bent nog iets vergeten.'

Als Poeke Noël ziet denkt ze aan al die tijd dat ze voor niks voor de klas hebben gestaan. 'Wat ben ik vergeten? Jou te zeggen dat je een giftig monsterachtig gedrocht bent waar de kakkerlakken zelfs voor op de vlucht slaan?'

Noël haalt diep adem. 'U bent vergeten de sleutel van het hok van Stipje aan ons te geven.'

'Doorrijden,' zegt Piek.

Ik zal die rotkinderen, waar we nooit een goed verhaal van hebben gekregen, wel krijgen!' denkt Poeke. 'Ah, wat dom van ons,' zegt ze. 'Dan kunnen jullie dat lieve beestje geen eten meer geven en dan gaat hij dood. Dat wil ik niet op mijn geweten hebben hoor. Pak maar gauw.' En ze haalt de sleutel van haar sleutelbos en houdt hem voor Noëls gezicht. Maar zodra Noël zijn hand ernaar uitsteekt trekt ze hem gauw weg en gooit hem in een putje. 'Alsjeblieft.'

Eerst schrikt Noël heel erg, maar dan bedenkt hij dat meneer Kauwenaar het hok wel open zal kunnen krijgen.

Hij kijkt naar het hek. Waar blijft de burgemeester nou?

Juf Hendrika zit alweer op de bakfiets als de auto van de burgemeester, met meneer Van Delden achter het stuur, het schoolplein oprijdt. Meneer Kauwenaar komt meteen naar buiten. 'Burgemeester, ik weet echt niet wat ik hiermee aan moet...'

'Laat het maar aan mij over.' De burgmeester stapt op juf Johanna en juf Hendrika af. 'Bent u helemaal stapel...' Midden in de uitbrander valt zijn mond open. Weer jubelen zijn tenen in zijn schoenen zodat hij niet meer stil kan staan; maakt zijn hart zo'n sprong dat het bovenste knoopje van zijn overhemd eraf vliegt en zijn stropdas losschiet; krult het puntje van zijn neus om; bewegen zijn oren en wapperen de paar haren die z'n kale hoofd moeten bedekken als vlaggen in de wind. Maar dit keer beginnen zijn ogen ook te knipperen. 'Mijn Tortelduifjes... mijn Roomsoesjes... Kauwenaar, waarom heb je me nooit verteld dat mijn schatjes hier werkten?'

'We werken hier niet meer,' zegt juf Hendrika. 'Onze boot vertrekt over een uur.'

'U kunt hen zo niet laten gaan,' zegt meneer Kauwenaar. 'Het is ongepast. Het is tegen elk...'

'Rustig, Kauwenaar,' onderbreekt de burgemeester hem. 'Ik laat ze zeker niet gaan. Wat denk je nou

man, dat ik stapelgek ben geworden? Ik ga met ze
mee.'

'Maar burgemeester, dat kunt u niet doen,' zegt
meneer Van Delden. 'Dan wordt u uit uw ambt ont-
heven. Daar krijgt u spijt van.'

'Spijt, Van Delden? Spijt?' roept de burgemeester uit. 'Ik ben alleen maar ongelukkig geweest. Ik wil geen luxe meer. Je mag alles van me hebben. Mijn baan, mijn huis. Hier heb je een machtiging voor mijn bankrekening.' En hij krabbelt op een blaadje dat hij al zijn bezittingen aan meneer Van Delden overdoet. 'Nu word ik pas gelukkig, nu ik niets meer heb. Alleen mijn liefjes... Ik begin helemaal opnieuw.'

'Karren!' zegt Piek. 'Voordat we die halvegare meekrijgen.'

Poeke rijdt snel weg.

'Wacht!' De burgemeester rent achter hen aan. Bij het hek haalt hij hen in en hij springt op de bakfiets. 'Mijn Hartjes, ik laat jullie nooit meer gaan...!'

Feest!

In de haven, boven op een kraan die containers uit het ruim van een vrachtschip haalt, bespiedt meester Timo het zeeschip dat naar de Noordpool gaat: de Walrus.

Nadat Noël hem stiekem heeft opgebeld om te vertellen dat juf Johanna en juf Hendrika met de burgemeester de boot naar de Noordpool nemen, is Timo snel naar de haven gegaan. Hij wil de zussen zelf met de Walrus zien vertrekken, dan is hij pas gerustgesteld.

Hij kijkt zuchtend op zijn horloge. Ze zijn er nog steeds niet. Als ze niet gauw komen, is de boot vertrokken. Zie je wel, denkt Timo als de kapitein de matrozen het teken geeft dat ze hun positie moeten innemen, ze komen niet meer. De burgemeester heeft het vast uit hun hoofd gepraat. Ons plan is mislukt. Hij wil al naar beneden klimmen, als hij verderop in de haven gegil hoort: 'Pas op!' En dan ziet hij Piek met een overvolle bakfiets de loopplank op crossen.

'Stop!' De kapitein gaat voor zijn schip staan.

'Uit de weg!' schreeuwt Piek. 'Ik weet niet waar de rem zit!'

En ze knalt tegen de reling op. Door de klap slaat

de bakfiets naar voren en kiepert de lading over de reling. Niet alleen de wol en de koffers maar ook Piek, Poeke en de burgemeester komen op het dek terecht.

'Bent u helemaal mal!' brult de kapitein tegen Piek en Poeke die in de armen van twee matrozen belanden. 'Van mijn schip af, of ik laat jullie door de politie verwijderen.'

'Drie champagne zul je bedoelen, zee-egel, anders laat ik jou verwijderen.'

De kapitein verschiet van kleur als de burgemeester uit de berg wol kruipt.

'O, neem mij niet kwalijk.' Hij geeft de matrozen de opdracht de bakfiets op de kade te zetten, de koffers naar de hutten te dragen en de strengen wol op te winden.

Een paar tellen later hoort Timo de plop van een champagnefles die ontkurkt wordt. Hij ziet dat de trossen worden losgegooid en dat Poeke en Piek met de burgemeester het glas heffen.

'Proost,' zegt Timo, als de boot wegvaart. In een paar salto's staat hij beneden. Dit moet gevierd worden, denkt hij. Ik ga mijn klas trakteren! Hij rent naar het centrum van de stad. Hij wil net de ijswinkel ingaan als de fanfare met Noël voorop de hoek omkomt.

Timo sluit zich bij de feestvierders aan. De kilometers lange stoet gaat richting marktplein waar een groot podium is opgebouwd. Alle kinderen en grote mensen stellen zich voor het podium op. Alleen Noël en meneer Van Delden, begeleid door het fanfarekorps, betreden het podium.

Noël moet in het midden gaan staan.

'Dit is een grote feestdag,' zegt meneer Van Delden. 'Alle voetbalclubs, zwembaden, clubhuizen en speeltuinen gaan weer open.'

'Hoera!' De kinderen en de grote mensen juichen.

Meneer Van Delden wil net met zijn toespraak verdergaan als de wethouder met een brief in zijn hand komt aangeheld.

'Spoed' staat erop. Hij stapt hijgend het podium op en overhandigt meneer Van Delden de brief.

Meneer Van Delden leest hem zachtjes aan de wethouder voor. Noël, die er vlakbij staat, kan het verstaan.

Geachte gemeenteraad,

In antwoord op uw schrijven van een aantal maanden geleden deel ik u mee dat wij hebben besloten een team samen te stellen dat onderzoek gaat doen naar het functioneren van de burgemeester in uw stad. Hopend u hiermee van dienst te zijn geweest, hoogachtend,

de Minister.

'Schrijf de minister maar terug dat het al niet meer nodig is!' Meneer Van Delden geeft de brief aan de wethouder.

'Dames en heren, jongens en meisjes,' gaat hij verder. 'Deze ochtend is gebleken dat de gemeenteraad een grote fout heeft gemaakt om destijds juf Hendrika en juf Johanna op de school van meneer

Kauwenaar aan te stellen. Zij waren geen juffen maar bedriegsters. Dat blijkt uit de vervalste papieren die net op het gemeentehuis zijn onderzocht. Zij zijn dezelfde vrouwen die na de verhalenwedstrijd met een rode pruik op en gewikkeld in fladderjurken met de beker naar huis gingen. Het is ons nu wel duidelijk dat ze ons toen ook hebben bedrogen en het winnende verhaal van Noël Aarts hebben gestolen. Noël, jij hebt ons gewaarschuwd en meester Timo ook, maar verder was het voor iedereen ondenkbaar dat een jongen van groep drie zulke bijzondere verhalen kan verzinnen. Dames en heren, jongens en meisjes van deze stad, wij hebben het talent van deze jongen niet herkend. Noël, namens de hele gemeenteraad hang ik je nu een erepenning om.'

Fotografen dringen naar voren. En de camera's van de plaatselijke televisie worden op Noël gericht.

'Noël,' zegt meneer Van Delden. 'Ik denk dat jij deze mensen nog wel iets te zeggen hebt.' En hij overhandigt Noël de microfoon.

Noël kleurt. Het enige wat hij wil zeggen is dat hij dolblij is dat zijn plan is geslaagd, maar dat moet juist geheim blijven. Hij denkt erover de microfoon terug te geven als hij Twiet hoort tjilpen. Ik weet het al, denkt Noël. Ik vertel een verhaal. Hij kijkt naar de kinderen en de grote mensen die zich voor het podium verdringen en begint. Iedereen is stil. Als het verhaal uit is, klappen ze heel hard voor Noël. Ook degenen die nog twijfelden zijn er nu van overtuigd dat het winnende verhaal van Noël was. De fanfare speelt speciaal voor Noël een lied.

'Dankjewel, Noël,' zegt meneer Van Delden. 'Maar er is nog iets. Je zult begrijpen dat de gemeenteraad heel graag wil goedmaken wat er gebeurd is. Is er iets waar wij jou blij mee kunnen maken?'

'Ik vind het heel fijn dat iedereen mij nu eindelijk gelooft,' zegt Noël. 'Maar ik heb nog wel een wens en ik weet zeker dat alle kinderen van mijn school hetzelfde willen.'

'En dat is?' vraagt meneer Van Delden.

'Dat meester Timo weer bij ons op school terugkomt,' zegt Noël.

'Ja!' roepen de kinderen van de school van meneer Kauwenaar.

'Ik denk dat ik namens de voltallige gemeenteraad spreek als ik zeg dat wij ook niets liever willen,' zegt meneer Van Delden.

'En ik ook niet.' Timo die helemaal achter aan de menigte staat, springt met één sierlijke sprong op het podium.

'Er is alleen één probleem,' zegt hij. 'Ik wil weer heel graag meester worden, maar nog niet alle kinderen in de stad hebben mijn acrobatennummer gezien.'

'En dat moet wel!' roepen de kinderen.

'Even de circusdirecteur bellen, die weet altijd overal raad op.' Timo haalt zijn mobieltje uit zijn zak en toetst een nummer in.

Vol spanning wachten ze tot Timo klaar is met bellen.

'Het is voor elkaar!' roept hij. 'Om het te vieren geven we de hele dag gratis voorstellingen.'

'Hoera!' roept iedereen.

De fanfare verlaat luid toeterend het podium.

'Kom op Noël.' Meester Timo gaat op zijn handen staan, steekt zijn benen recht omhoog en houdt zijn voeten plat. Noël klimt in zijn benen en gaat op zijn voeten zitten. En in optocht, met Timo en Noël voorop, gaan ze naar het circus.

de uitzending

Iedereen vindt het al weer heel gewoon dat de voetbalvelden, zwembaden, speeltuinen en clubhuizen open zijn, als Noël op een dag door zijn vader wordt geroepen.

'Noël, kom eens gauw! Er is iets grappigs op de televisie!'

Als Noël beneden komt ziet hij beelden van de Noordpool.

'Deze beelden zijn vanuit een vliegtuig gemaakt,' zegt de presentator. 'Op de foto ziet u zeehonden met verschillende kleuren wollen zwembroeken aan, ijsberen met felgekleurde wollen mutsen op en dassen om. Ook zijn er poolhazen en rendieren met paarse en gele wollen jassen gesignaleerd. De wetenschap staat voor een raadsel. In de studio spreken we met professor Wilbert Zandstra. Hij is een van onze grootste geleerden op dit gebied, en droeg vroeger ook wel de bijnaam Boekenkast.

Meneer Zandstra, als ik goed ben geïnformeerd zijn er niet alleen dieren aangetroffen, maar ook drie vreemde wezens die menselijke eigenschappen vertonen.'

'Dat klopt,' zegt professor Zandstra.

'Het schijnt dat twee ervan opvallend lange neuzen hebben,' zegt de presentator.

'Mag ik de beelden nog eens zien?' vraagt professor Zandstra. Hij zet drie brillen over elkaar op zijn neus en bestudeert de beelden.

'Kunt u de neuzen misschien iets dichterbij halen?' vraagt hij.

Als hij naar de vergroting kijkt komt er een glimlach om zijn mond.

'Professor, de minister heeft u aangewezen als raadsman van het onderzoeksteam. Mogen wij uw advies weten?'

Willem Zandstra plukt aan zijn baard. 'We hebben hier met iets heel unieks te maken. Een kolonie zoals deze heeft zich nooit eerder in de geschiedenis van de mensheid laten zien. Wij zijn het dan ook verplicht er alles aan te doen om deze kolonie zo goed mogelijk tot ontwikkeling te laten komen. Als we eropaf gaan, lopen we het risico de natuurlijke ontwikkeling te verstoren. Mijn advies zal dan ook zijn de kolonie volledig met rust te laten.'

'Dank u wel,' zegt de presentator.

Het blijft stil in de kamer. Totdat meneer Aarts het witte gezicht van Noël ziet. Hij slaat bezorgd een arm om hem heen. 'Wat is er met je?'

Noël weet zo gauw niks te zeggen, maar dat hoeft ook niet, want zijn moeder geeft al antwoord.

'Onze zoon is geraakt! De vreemde wezens met de lange neuzen brengen iets in hem teweeg. Dat noem je nou inspiratie. Besef je wel wat dit betekent? Dit is

het moment waar elke kunstenaar met smart op wacht. En jou overkomt het zomaar, op zo'n jonge leeftijd. Ik kan je niet zeggen hoe dankbaar ik ben dat wij er getuige van mogen zijn. Heel, heel mooi!'

'Nee hè?' Noël staat zuchtend op en loopt de kamer uit.

'Laat hem maar,' zegt zijn moeder als meneer Aarts hem achterna wil gaan. 'Wij mogen hem nu niet storen. Zijn fantasie roept hem! Hij moet gewoon een verhaal schrijven over die vreemde wezens op de Noordpool...'

Maar dat doet Noël niet. Hij kijkt wel uit! En daardoor zal behalve Noël, meester Timo, professor Willem Zandstra en jij, nooit iemand te weten komen waar de geheimzinnige kolonie op de Noordpool vandaan komt.

Lees ook deze boeken van Carry Slee

Vals
ISBN 978 90 499 2175 0
€ 12,50

Kai heeft een vreselijke juf. Ze is niet zomaar een beetje onaardig, of af en toe een tikje gemeen: Nee, juf Suikertoetje is heel erg vals! En ze wil maar één ding: de kinderen uit haar klas de stuipen op het lijf jagen.
Ze is dan ook zeer in haar nopjes als er in het stadje een monster wordt gesignaleerd. Iedereen is plotseling heerlijk bang; kinderen én grote mensen kunnen aan niets anders meer denken.

Kai is de enige die doorheeft dat slechts één persoon werkelijk bang zou moeten zijn.
Helaas kan hij dit monstergeheim met niemand delen...

Kaatje Knal en de Biefstukbende
ISBN 978 90 499 2114 9
€ 9,95

De smoezenkampioen
ISBN 978 90 499 2113 2
€ 9,95

Markies Kattenpies
ISBN 978 90 499 2115 6
€ 9,95

Ridder Schijtebroek + cd
ISBN 978 90 499 2148 4
€ 11,50

Drakenpad + cd
ISBN 978 90 499 2145 3
€ 11,50

Hokus pokus plas + cd
ISBN 978 90 499 2146 0
€ 11,50

Meester paardenpoep + cd
ISBN 978 90 499 2147 7
€ 11,50